Para

com votos de paz.

DIVALDO FRANCO
VANESSA ANSELONI

A NOVA GERAÇÃO:

A VISÃO ESPÍRITA SOBRE CRIANÇAS ÍNDIGO E CRISTAL

Salvador
7. ed. – 2016

©(2006) Centro Espírita Caminho da Redenção – Salvador, BA.
7. ed. – 2016 (bilíngue – português e inglês)
3.000 exemplares (milheiros: do 22º ao 24º)

Coordenação do Projeto: Vanessa Anseloni e Daniel Santos (*Spiritist Society of Baltimore*, Inc. http://www.ssbaltimore.org>)

Transcrição (português): Heloísa Grimwood
Equipe de tradução: Vanessa Anseloni e Jussara Korngold
Revisão da tradução ao inglês: Lisa Pellegrino
Capa: Cláudio Urpia
Editoração eletrônica: Ailton Bosco
Revisão do português: Plotino Ladeira da Matta/Ana Landi
Coordenação editorial: Prof. Luciano de Castilho Urpia
Produção gráfica:
LIVRARIA ESPÍRITA ALVORADA EDITORA
Telefone: (71) 3409-8312/13 – Salvador (BA)
Homepage: www.mansaodocaminho.com.br
E-mail: <leal@mansaodocaminho.com.br>

Dados Internacionais de Catalogação na Publicação (CIP)
(Catalogação na fonte)
Biblioteca Joanna de Ângelis

F825   FRANCO, Divaldo Pereira
         A nova geração: a visão espírita sobre crianças índigo e cristal . 7. ed.
         Divaldo Pereira Franco e Vanessa Anseloni. Salvador: LEAL, 2016.
         144 p.
         ISBN: 978-85-8266-147-5

         1. Crianças – Aptidão psíquica 3. Pedagogia 3. Espiritismo
         4. Personalidade em crianças I. Franco, Divaldo II. Anseloni, Vanessa
         III. Título

                                                                CDD: 155.4

Impresso no Brasil
Presita en Brazilo

Sumário

AGRADECIMENTOS ESPECIAIS

Ao Dr. Andrew Newberg, professor e neurologista da Universidade da Pensilvânia, também diretor do Centro de Espiritualidade e Mente, por ter-nos gentilmente permitido a reprodução das imagens SPECT e as respectivas explicações sobre o seu estudo científico dos correlatos neurofisiológicos da meditação.

❀

À Art Akiane, LLC e à Forelli Kramarik por ter-nos concedido os direitos de reprodução da foto do quadro "Príncipe da Paz" pintado por Akiane Kramarik.

❀

À senhora Amy Biank e sua equipe pela organização do evento com Divaldo Franco.

PREFÁCIO

Imersos que estamos, incontestavelmente, num mundo de transformações nos âmbitos pessoal, social e mundial, este livro vem trazer novos ensinamentos, provendo-nos de novas diretrizes e, principalmente, enchendo-nos de esperança.

Divaldo Pereira Franco mais uma vez nos presenteia com gloriosos esclarecimentos, desta vez sobre uma nova geração de espíritos reencarnantes: as crianças *índigo e cristal*. Com informações adicionadas em itálico por Vanessa Anseloni, este livro, sem dúvidas, traz-nos interessantes *insights* em como lidar, educar e entender esses seres que serão responsáveis pela grande transição de um mundo de guerras e sofrimentos para um mundo mais fraterno e pacífico.

As informações contidas neste livro baseiam-se, em parte, em uma esplendorosa palestra proferida por Divaldo Pereira Franco, em 18 de fevereiro de 2006, em Oswego, Illinois (EUA). O encontro foi organizado pela nossa companheira americana, Amy Biank, juntamente com as suas instituições *Angel Center* e *Intuition Unlimited*.

Nesta obra de arte, observamos que essa nova geração é tão peculiar que se faz necessário viajar no tempo e no espaço, lançando mão das ciências terrena e espiritual, a fim de compreendê-la. Divaldo Pereira Franco nos conduz com profundidade e sabedoria nessa viagem ao nosso passado. Remonta aos seus primeiros momentos, analisando a evolução da humanidade terrena que ocorreu a partir de uma indispensável intercooperação planetária, graças às migrações de espíritos. A partir daí, explicações coerentes são dadas sobre a definição de criança *índigo e cristal,* suas diferenças, tipos e comportamentos, intercaladas por histórias verídicas vividas por Divaldo Franco. O desfecho é um amoroso convite ao acolhimento que devemos dar a essa nova geração que já faz parte da nossa humanidade terrena.

Em primorosa sincronia de ideias com Divaldo Pereira Franco, Vanessa Anseloni traz informações relevantes e complementares das áreas da neurociência, psicologia e do Espiritismo.

Indubitavelmente, acredito que o leitor, principalmente pais e educadores, irão perceber que essa obra é de significativa relevância. Evidenciamos também, que nela há uma continuidade dos trabalhos do mestre lionês Allan Kardec, que preconizava a educação, pautada na mudança real dos hábitos, como sendo a única forma de mudança individual e social.

Acolhamos, com todos os nossos esforços, essa nova geração de seres humanos, extremamente necessária para uma mudança de paradigma familiar/social de que tanto carecemos.

Boa leitura!
Baltimore – MD (EUA),
7 de novembro de 2006.

M. Daniel Santos, *PhD*
Diretor de Comunicações
Sociedade Espírita de Baltimore

1

A DÉCADA DO CÉREBRO E O "PONTO DE DEUS"

Durante os anos 1990 e 2000, os neurocientistas dos Estados Unidos solicitaram ao Congresso americano que considerasse esse decênio o da *Década do Cérebro*. O Congresso americano, examinando a proposta desses neurocientistas, aceitou o desafio e designou aquele período conforme solicitado, porque as neurociências haviam investigado o sistema nervoso e logrado descobrimentos com tantos detalhes, como nunca havia acontecido na história da ciência durante os anteriores 6.600 anos de cultura, de ética e de civilização.

Aprovada pelo Congresso americano a *Década do Cérebro*, o Presidente George W. Bush homologou o pedido, e esse período passou a ser considerado como o mais grandioso da evolução das referidas neurociências.

A proclamação da Década do Cérebro *propiciou a conscientização pública da relevância dos estudos do cérebro para a humanidade, bem como a necessidade de investir em tais estudos. A medida teve tal impacto que toda a comunidade neurocientífica mundial decidiu adotar também os anos 90 como sendo a* gloriosa década do cérebro. *Entre os revolucionários avanços mais importantes apontamos os seguintes: (1) mais da metade do projeto genoma humano é composto de células ligadas ao cérebro, genes que influenciam uma vasta gama de comportamentos; (2) a revolução das técnicas de escaneamento do cérebro, especialmente de imagem funcional; (3) o cérebro humano apresenta plasticidade durante a fase adulta, incluindo novos neurônios que nascem.*

Por consequência, a Humanidade passou a entender melhor a sua própria história. E, mais fascinante ainda, na atualidade, alguns desses nobres investigadores neurocientistas afirmam que o nosso cérebro tem escrito na sua intimidade a presença de Deus.

Utilizando-se de técnicas de alta tecnologia, o professor e neurologista da Universidade da Pensilvânia, também diretor do Centro de Espiritualidade e Mente, Andrew Newberg, constatou que nos momentos em que oramos e/ou meditamos ativamos áreas específicas do cérebro. Ele conduziu uma série de estudos com imagem funcional do cérebro em freiras franciscanas, budistas e cristãos pentecostais que têm o "dom de línguas".

A seguir, pode-se observar as figuras obtidas durante um estudo sobre correlatos neurofisiológicos da meditação, estudo este conduzido pelo Dr. Andrew Newberg. (As imagens a seguir, juntamente com suas descrições, foram gentilmente concedidas pelo referido autor do trabalho em questão, a fim de serem reproduzidas neste livro.)

"Em breves palavras, nós temos estudado os cérebros de monges Tibetanos com grande experiência em meditação, através de Tomografia Computada por Emissão de Fóton Único (SPECT). A imagem SPECT permite-nos ver o cérebro e determinar quais as áreas que estão ativas através da medida do fluxo sanguíneo. Quanto maior o fluxo de sangue numa deter-

minada área, mais ativa ela estará, aparecendo em vermelho. As imagens mostram os resultados do grupo controle à esquerda (enquanto o sujeito estava em repouso) e durante o "pico" da meditação, representado à direita. Dois grupos de imagens foram obtidas, mostrando partes diferentes do cérebro, como veremos a seguir."

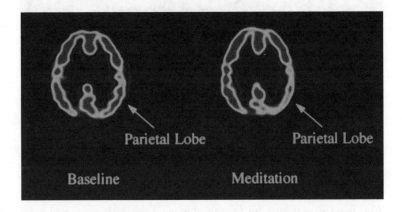

"Na figura acima, podemos observar que há um decréscimo da atividade do lobo parietal durante a meditação. A parte inferior mostra-se em amarelo e não em vermelho como na imagem à esquerda. Essa área do cérebro é responsável por nos dar um senso de orientação de tempo e espaço. Nós hipotetizamos que o bloqueio de todos os inputs sensório-cognitivos nesta área, após a meditação, está associado com a sensação atemporal e não espacial que é frequentemente descrita quando estamos em meditação."

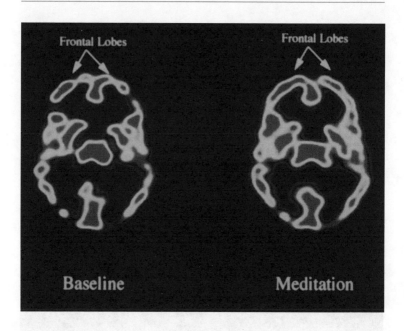

"*Esta segunda figura mostra que a parte frontal do cérebro, usualmente envolvida com atenção e concentração, está mais ativada durante a meditação (atividade em vermelho aparece aumentada). Isto faz sentido, pois que a meditação requer um alto nível de concentração. Também evidenciamos que quanto maior a atividade no lobo frontal, menor a ativação do lobo parietal[1].*" – *concluiu Dr. Newberg.*

Em 1992, na Universidade da Califórnia, em Los Angeles, o neuropsiquiatra Michael Persinger, analisando o cérebro humano mediante uma tomografia computadorizada, através de um escaneamento topográfico com emissão de pósitrons, identificou uma área que brilhava no cérebro

---

1 – *Uma versão mais complexa do modelo poder ser lida no livro dos* Drs. Newberg e d'Aquili entitulado " Why God Won't Go Away: Brain Science and the Biology of Belief (*Ballantine, 2001*).

humano. Ele percebeu que o cérebro emitia uma específica luminosidade. Resolveu procurar o neuropsicólogo Dr. Vilayanur Ramachandran que, examinando essa *luz cerebral*, chegou a uma conclusão curiosa: toda vez que ele enunciava o nome de Deus, aquela luminosidade aumentava. Eles resolveram, então, denominar essa área entre os lóbulos temporais como "o ponto de Deus".

Os estudos de Persinger e Ramachandran iniciaram-se a partir de pacientes com epilepsia, que usualmente têm experiências espirituais profundas. Em comparações entre os epilépticos e pessoas sadias e religiosas, a resposta foi similar quando evocadas palavras de crença espiritual.

Mais tarde, a grande física norte-americana Danah Zohar, professora da Universidade de Oxford, veio examinar a questão, e depois de estudar com os neurocientistas, ela concluiu que nessa área cerebral localizava-se a inteligência espiritual, definindo, após acuradas reflexões, que nesse campo se encontra o correlato biológico da inteligência espiritual. **Equivale a dizer que o Espírito já não é mais uma produção do cérebro, mas que este decodifica-lhe os conteúdos profundos através dos neurônios.**

Esta maravilhosa descoberta fez que vários neurocientistas concluíssem que a criatura humana não é somente um ser constituído de células, mas também uma consciência de natureza transpessoal. *Apesar das neurociências oficialmente não terem provado que a mente é extrassensorial, os estudos mencionados abrem questionamentos para a compreensão da sede da mente humana.*

Este preâmbulo tem por finalidade facultar-nos perceber a visão contemporânea de alguns cientistas a respeito do ser imortal que somos.

2
COOPERAÇÃO INTERPLANETÁRIA E EVOLUÇÃO HUMANA

Nessa mesma fase de investigações, um grande número de astrônomos conceituados, quais Edmund Halley, Paul Otto Hesse e F. Wilhelm Bessel entre outros, através de cálculos muito complexos constataram que o nosso sistema solar é *escravo* da atração gravitacional de Alcíone, uma estrela de terceira grandeza, *que se encontra há aproximadamente 440 anos/luz da Terra.*

Essa estrela faz parte da constelação das Plêiades, conhecidas desde priscas eras. O sistema solar gira em torno de Alcíone durante o período de 26.000 anos aproximadamente. E em cada 12.000 anos, o sistema solar aproxima-se dessa estrela grandiosa, que é circundada por uma imensa camada de fótons, penetrando-a, e aí se demorando por um período de 2.000 anos. Essas partículas – os fótons – são o resultado da decomposição do elétron, considerados como mínimas partículas de energia eletromagnética, que produzem especiais alterações na estrutura do sistema solar, quando penetra nesse verdadeiro cinturão que envolve Alcíone.

Curiosamente, há 12.000 anos, aconteceu a aproximação e penetração do nosso sistema solar nesse campo energético que envolve Alcíone, quando o nosso planeta começou a ser habitado por seres inteligentes...

Acreditam esses estudiosos que, por volta do ano de 1972, o sistema solar vem-se adentrando nesse envoltório de fótons, e que, a partir de 1987, a Terra começou a penetrar nessa camada de energia que produz uma certa luminosidade, resultado da excitação molecular, que não tem calor, nem proporciona sombra ou trevas.

Façamos um pequeno recuo. Do ponto de vista da evolução antropológica, havia seres que se foram modificando através dos milhões de anos e alcançaram um momento em que se apresentavam como antropoides. Esses antropoides eram constituídos por um psiquismo muito primário, progredindo em corpo igualmente grosseiro.

Segundo a teoria do evolucionismo, nesse momento o antropoide dividiu-se em dois ramos: permaneceu o ancestral e surgiu aquele que facultaria o aparecimento do ser humano. O extraordinário naturalista Charles Darwin não conseguiu explicar com muita segurança como isso aconteceu no processo da evolução, em face da dificuldade de encontrar-se elementos paleontológicos (fósseis) que facultassem o estudo do natural processo. Por consequência, essa falta de documentação ensejou o conceito em torno do "elo perdido", exatamente aquele que ajudaria a entender a mudança de uma para outra expressão de organização biológica.

*A visão espírita da criação e da evolução dos seres acomoda aspectos da teoria da evolução de Darwin, bem como da teoria criacionista. No concernente à teoria criacionista, o Espiritismo concebe que, indubitavelmente, Deus é o criador do Universo, sendo que **Deus é a causa primeira de todas as coisas,*** *a **Suprema Inteligência** do **Universo** (ver questão primeira de O Livro dos Espíritos, por Allan Kardec [2]).*

No entanto, não se faz lógico acreditar que todos os seres foram criados prontos em todas as suas espécies de uma só vez. Neste sentido, entra o aspecto da teoria evolucionista para poder-se compreender que, após a criação do princípio inteligente (ou espiritual) e do princípio material, a lei universal de progresso permitiu que a mônada celeste saísse do seu estágio primário de simplicidade e ignorância para angariar experiência e conhecimento. Nas diversas etapas da evolução, o princípio inteligente estagiou em cada reino da natureza material (desde o mineral ao animal) até chegar ao hominal. A evolução do princípio inteligente ou espiritual pode ocorrer mais ou menos de forma idêntica em diversos mundos.

No período do Elo Perdido na Terra, acreditam os espiritualistas que receberam revelação do mundo espiritual que, num sistema próximo da Terra, na constelação do Cocheiro, havia um planeta de Capela que evoluía moral e intelectualmente na direção do Reino dos Céus. No entanto, nada obstante esse processo de evolução, existiam Espíritos rebeldes que se negavam à prática e à vivência do amor, constituindo um grave problema para o processo libertário da evolução.

Tomamos conhecimento através da Bíblia sobre o texto que informa ter havido nos Céus um anjo de nome Lúci-

---

2 – ***Allan Kardec** (1804-1869) – Pseudônimo do professor e educador francês Hippolyte Léon Denizard Rivail. Foi o codificador do Espiritismo no século XIX, em Paris, França. A literatura básica do Espiritismo, compilada por Allan Kardec, corresponde aos seguintes livros: O Livro dos Espíritos (1857); O Livro dos Médiuns (1861); O Evangelho Segundo o Espiritismo (1864); O Céu e o Inferno (1865); A Gênese (1868) e os 12 primeiros volumes de a Revista Espírita (1858-1869). Para saber mais sobre a vida de Allan Kardec e a história do Espiritismo, ler o livro Compreendendo a Saúde Mental e Espiritual por Divaldo Pereira Franco.*

fer que se rebelou contra Deus, tendo sido expulso do Paraíso e enviado para uma região infernal, portanto, de muitos sofrimentos. A imagem forte expressa com vigor o que gostaremos de elucidar.

Aquele planeta da *constelação do Cocheiro* havia, portanto, atingido um nível de grande elevação intelecto-moral, mas ainda permaneciam Espíritos belicosos, perversos, que se negavam à obediência e ao amor, comprazendo-se na prática do mal.

Para que não prejudicassem o programa de evolução geral, foram expulsos para um outro planeta, onde tivessem ocasião de aplicar os conhecimentos e sofrer as consequências da sua rebeldia – um verdadeiro inferno – reencarnando-se na Terra, exatamente quando os terrícolas se encontravam na fase antropoide.

É curioso notar que os descendentes físicos desses antropoides irão ser animados por Espíritos intelectualizados, que desenvolverão equipamentos orgânicos próprios capazes de expressar com clareza os conhecimentos de que são portadores.

Surgem, então, os descendentes dos *primatas*, permanecendo, concomitantemente, os antropoides, nos quais continuarão reencarnando-se, nessa organização em desenvolvimento, aqueles Espíritos ainda primários, em face da sua evolução terrícola.

A cada reencarnação, o ser espiritual conectado ao seu corpo espiritual (o perispírito) vai-se ligando, molécula a molécula, ao novo organismo físico desde a sua primeira célula, a célula ovo, ou zigoto, na concepção. Deste modo, a mente do Espírito comanda a formação do novo corpo via o seu molde fundamental, o perispírito.

A reencarnação tem por finalidade o melhoramento progressivo da humanidade.[3] O ser espiritual vai progredindo a cada reencarnação, jamais regredindo. Por consequência, o conceito de metempsicose (reencarnação em corpos de animais) não se sustenta em bases lógicas, uma vez que o ser espiritual, em alcançando o patamar do reino hominal, não poderá retrogradar em uma estrutura incompatível com o amadurecimento espiritual-perispiritual do Espírito.

Em face dessa ocorrência – que teve lugar no mundo espiritual –, subitamente na África, particularmente na África do Norte, desenvolveu-se a monumental cultura egípcia. Os faraós trouxeram para a humanidade, na intimidade dos templos, conhecimentos muitíssimo superiores à sua época. A engenharia atingiu patamares tão grandiosos que propiciaram a construção das pirâmides, da Esfinge de Gisé, abrindo espaço para futuros saltos culturais deslumbrantes.

Na Índia, a revelação divina apareceu através de Krishna, que logo trouxe a ideia da imortalidade da alma, de Deus, da reencarnação, da justiça divina, do amor. Na China, Lao-Tsé, Fo-Hi e Confúcio elaboraram os grandes códigos da dignidade humana, da sociedade, da cidadania. Na Pérsia, apareceu a cultura superior a respeito da grandiosidade de Deus, da imortalidade da alma, da continuidade da vida... Na Assíria e na Babilônia, acompanharemos o desenvolvimento deslumbrante de duas civilizações grandiosas, que deixaram fulgurantes páginas de beleza e sabedoria para o futuro da sociedade.

Merece, porém, considerarmos que, nada obstante, embora portadores de incomum inteligência, esses nobres

---

3 – *Questão 167 de O Livro dos Espíritos, por Allan Kardec.*

Espíritos eram belicosos e sustentavam-se através de guerras contínuas e odientas.

No Ocidente, 500 anos antes de Jesus, fulgiu o período de Péricles, facultando o aparecimento da tragédia grega, da filosofia empírica, e logo depois, brilham as inteligências incomuns de Sócrates, Platão e Aristóteles, desenhando para a Humanidade a ética, o pensamento, o saber, as leis da ordem e do dever.

Nesse ínterim, Moisés libertou o povo hebreu da escravidão no Egito e recebeu o *Decálogo* por inspiração divina. A Lei Mosaica ofereceria uma visão elevada a respeito do indivíduo em si mesmo, em referência à sociedade e a Deus.

Por fim, chegou Jesus à Terra, e revolucionou a história da humanidade através da lei de amor. E conforme está escrito em João (14:1-2), Ele disse: "Credes em Deus, crede também em mim. Na casa de meu Pai há muitas moradas", demonstrando que as estrelas, que nos dão o seu brilho, os planetas, que lhes refletem a luz, são verdadeiras *moradas* espirituais, mundos que se constituem como divinas residências.

Desejamos com isso dizer que esses Espíritos nobres, que nos trouxeram o conhecimento, a sabedoria, vieram de um outro planeta mais evoluído do que a Terra, com exceção de Jesus, por ser o Governador, portanto, o *Espírito mais elevado que Deus nos deu, para servir-nos de Modelo e Guia.*

A visão espírita de Jesus Cristo é metafísica, pois que Ele é filho de Deus tanto quanto cada um de nós. Um irmão mais velho que alcançou a plenitude e no-la veio trazer, a fim de mostrar o que é ser humano. A descrição deste ideal de humanidade encontra-se em o capítulo XVII de **O Evangelho segundo o Espiritismo**, *quando relata que: "O verdadeiro homem de bem é o que cumpre a Lei de justiça, amor e caridade em sua mais alta pureza."*

Joanna de Ângelis[4] descreve Jesus na visão da Psicologia Espírita como um Ser Pleno em quem a Anima e o Animus estão em perfeito equilíbrio. A anima de Jesus como a plena personalidade feminina, intuitiva, doce, suave, espiritualmente sábia e amorosa, maternal, ao ponto do autossacrifício para o bem da Humanidade. E o animus do Cristo em sua iniciativa, coragem, objetividade, determinação. Passagens como Lucas, 18:15-17, "Vinde a mim as criancinhas", descreve com clareza a anima de Jesus. Em João, 2:13-25, encontra-se o animus, quando Jesus, em Sua firmeza masculina, coloca ordem no templo expulsando os mercadores. Jesus Cristo antes de encarnar na Terra, já houvera passado pelas diversas etapas evolutivas, tendo chegado à perfeição a que um dia todos alcançaremos também. Para atingir esse ápice, cada qual necessita de novas oportunidades de aprendizado, ora em um mundo, ora em outro. Aqui se faz importante notar a importância da noção libertadora de que todos os Espíritos criados em a Natureza foram destinados ao progresso e à consequente e crescente felicidade. O Universo com suas milhões de galáxias contém escolas e lares, oportunidades para todos os níveis do progresso espiritual. Quando Jesus Cristo disse, conforme João, 14:1-2, "Há muitas moradas na casa de meu Pai", ele se referia à casa do Pai como sendo o universo e as diversas moradas, os mundos que existem no universo[5].

---

4 – **Joanna de Ângelis** *é a mentora espiritual de Divaldo Franco. Ela é um dos Espíritos de escol que orienta a humanidade na Terra, tendo participado da equipe do Espírito de Verdade que coordenou o trabalho de implantação do Espiritismo. Na obra O Evangelho Segundo o Espiritismo, ela foi a mensageira-autora das mensagens "A Paciência" (capítulo 9, item 7) e "Dar-se-á àquele que tem" (capítulo 18, itens 13-15). Ela fora Joanna de Cusa nos tempos de Cristo; vivera também na Itália nos tempos de Francisco de Assis; reencarnara-se como Sóror Juana Inés de La Cruz, no México do século XVII ; e Joana Angélica de Jesus, no Brasil do século XIX.*

5 – *Explicação aprofundada do tema encontra-se no capítulo 3 da obra* O Evangelho segundo o Espiritismo, *por Allan Kardec.*

Foi numa dessas cooperações interplanetárias, ou mesmo intergalácticas, que Espíritos de Capela foram trazidos à Terra. Aqueles Espíritos, apesar de serem mais evoluídos intelectualmente, vieram porque eram rebeldes e sofreram muito aqui no planeta atrasado, a Terra. E depois que desempenharam as suas tarefas, retornaram ao seio da pátria de onde procediam. Há, aproximadamente, alguns milhares de anos deve ter acontecido essa revolução extraordinária.

Por volta de 1972, e mais particularmente por ocasião de 1987, repetimos, o sistema solar está penetrando no cinturão de fótons de Alcíone, e uma nova revolução vem-se operando na estrutura psíquica da Terra, quando uma onda de Espíritos dessa dimensão vem promover mudanças sutis na forma orgânica, facilitando o processo de evolução intelecto-moral para que alcance níveis muito mais elevados.

Da vez anterior, a que nos referimos, os exilados em nosso planeta ofereceram ao nosso corpo os equipamentos para a manifestação da inteligência, do raciocínio, da consciência, mantendo, no entanto, os nossos instintos ancestrais. Agora, quando ainda somos instintos, sensações, emoções, desenvolvendo a razão, novos visitantes espirituais, transitoriamente entre nós, para também evoluir, vêm criar uma nova sociedade, porém assinalada pelas conquistas da intuição, da percepção paranormal, dos sentimentos elevados. Eles vêm mudar a estrutura do nosso organismo, facultando-nos instrumentos que nos façam mais perfeitos, mais sábios, menos guerreiros, menos perversos...

Esses, como outros Espíritos, sempre nos visitaram, e com certa periodicidade. Se reflexionarmos em torno do Evangelho de Jesus, veremos que João, o evangelista, fascinou-se pelo Mestre quando tinha mais ou menos 16 anos de idade. Ele compreendeu a lição profunda do Seu amor e absorveu-a integralmente, de tal forma que Jesus disse ser ele o único que não experimentaria o holocausto. E, de fato, foi o único discípulo que viveu até a idade provecta, havendo morrido pelo natural desgaste decorrente da senectude.

Se examinarmos, igualmente, a história da França, a menina Joana d'Arc, aos 14 anos, defendendo a sua pátria, apoiada pelas visões de Santa Margarida, Santa Catarina e São Miguel Arcanjo, que a ajudavam em todos os embates, constataremos que não se tratava de um ser convencional, de uma pessoa comum. Ela morava num lugarejo, pastoreava cabras e ovelhas, e depois que teve a visão dos Espíritos superiores, tornou-se comandante em chefe das tropas francesas que estavam destroçadas, conseguindo vencer diversas batalhas, culminando com a coroação do seu débil rei Carlos VII, na catedral da cidade de Reims, em julho de 1429.

Se prosseguirmos ainda mais um pouco, na pesquisa histórica, emocionar-nos-emos, por exemplo, com Beethoven, esse gênio da música. Temperamento rebelde, quase hostil, introvertido, mas que se revelou como fenomenal nas suas composições especialmente na área das sinfonias. Ao perder a audição quando contava 27 anos, a sua música tornou-se mais bela.

Ao compor a Nona Sinfonia, já não escutava sequer os sinos que badalavam ao lado dos seus ouvidos, não se perturbando, porém, com a dificuldade, porque trazia a música no mundo interior, a música de outras esferas... E foi graças a essa música sublime e transcendental que ele introduziu, na referida Nona Sinfonia, a *Ode à Alegria,* numa eloquente lição de vida e de júbilo.

3

CRIANÇAS ÍNDIGO

Quando a mediunidade despertou no século XIX, nos Estados Unidos, provocou um grande impacto. A ocorrência teve lugar através de duas meninas, as irmãs Fox, de muito conturbada memória, porque experienciaram suas vidas de forma atribulada, sendo vítimas da intolerância religiosa da época.

As irmãs Fox, Margareth e Kate Fox, viveram no pequeno vilarejo de Hydesville, New York. Elas escutaram as batidas mediante as quais se comunicaram, tendo depois a revelação de que eram procedentes do Espírito Charles Rosma, o caixeiro viajante que houvera sido assassinado e enterrado ali mesmo, na casa ora habitada pelos Fox, vitimado pelos proprietários anteriores. O fenômeno das comunicações ocorreu na noite de 31 de março de 1848, ficando celebrizado como o marco histórico do Espiritualismo Moderno. Atualmente, a cidade de Lily Dale, no Estado de Nova Iorque, guarda em seu museu os restos de alguns dos pertences das irmãs Fox, bem como o baú onde estavam os restos mortais de Charles Rosma. O célebre livro Histó-

ria do Espiritismo (do Espiritualismo), de Arthur Conan Doyle relata com detalhes as dificuldades vividas pelas irmãs Fox.

Na França, apareceram outras meninas portadoras de faculdades mediúnicas incomparáveis, as Irmãs Baudin, Caroline e Julie, com 12 e 14 anos, Ermance Dufaux com 15 anos, Ruth Japhet com 15 anos, e graças a essas adolescentes, que se fizeram intermediárias das Fontes Inexauríveis da Verdade, Allan Kardec codificou o Espiritismo, apresentando um notável conjunto de Ciência, Filosofia e Religião, que vem enfrentando a evolução cultural e tecnológica de maneira incomum, ao mesmo tempo resistindo a todas as agressões do pensamento materialista. Os seus postulados, que se apoiam na excelência dos fatos, têm recebido confirmação através das notáveis conquistas da ciência contemporânea.

Diversos conhecimentos científicos foram trazidos pela Espiritualidade por meio da mediunidade espírita, tendo a sua comprovação em anos posteriores pelas Ciências. Por exemplo, em 1958, o Espírito André Luiz[6] ditou, através de Francisco Cândido Xavier,[7] o livro "Evolução em Dois Mundos", no

---

6 – **André Luiz** – *Nome fictício do Espírito que escreveu pela mediunidade psicográfica de Francisco Cândido Xavier. Entre outros, André Luiz escreveu uma coleção de 16 volumes sobre a vida espiritual e sua interação com o mundo físico. A primeira obra dessa coleção foi* **Nosso Lar** *e a última* **E a Vida Continua***. Em sua última reencarnação, ele teria sido um médico brasileiro residente no Rio de Janeiro.*

7 – **Francisco Cândido Xavier** *(1910-2002) – Considerado o mais completo e prolífico médium do século XX. Nascido em Pedro Leopoldo, Minas Gerais – Brasil, Chico Xavier, como era chamado, publicou mais de 400 livros de estilos literários diversificados. Foi indicado para o prêmio Nobel da Paz pelos seus esforços pacifistas e caritativos. Como um bom médium espírita, nunca recebeu um centavo dos livros que publicara por intermédio da sua mediunidade extraordinária.*

qual afirma que "os neurônios nascem e renovam-se milhões de vezes no plano físico e no extrafísico". Até então as neurociências afirmavam que os neurônios não se renovavam, portanto, eram considerados células permanentes do sistema nervoso. Somente em 2002, as neurociências, através das pesquisas do cientista renomado Fred Gage, do Salk Institute for Biological Studies, em La Jolla, Califórnia, trouxeram as primeiras evidências de que os neurônios nascem e renascem também em adultos e idosos.

No ano de 2007, o Espiritismo comemora 150 anos de sua Codificação. Allan Kardec, o eminente codificador, foi verdadeiramente um editor-chefe e investigador dos fenômenos mediúnicos. Ele não fora médium ostensivo, mas aquele que sabiamente compilara as diversas informações recebidas pelas meninas-médiuns da época.

Allan Kardec não expôs, em suas obras, os nomes das médiuns da Codificação Espírita a fim de protegê-las da exposição pública. Lembremo-nos de que naquela época, século XIX, os direitos das mulheres e sua emancipação não tinham ainda vindo a público. Vejamos que 41 dias antes do lançamento de O Livro dos Espíritos, em 18 de abril de 1857, em Paris, França, 129 mulheres morreram queimadas dentro de uma fábrica em Nova Iorque, Estados Unidos, porque tinham reivindicado o direito de menos horas de trabalho a que eram submetidas nas fábricas têxteis...

Portanto, asseveram os Espíritos nobres que a nova geração é que vai desenvolver o lado direito do nosso cérebro, o lado intuitivo, mediúnico, a área das percepções psíquicas. Essa geração que se está formando vem sendo chamada de geração de *crianças índigo*, em razão de serem seres especiais que emitem, *em suas auras,* uma irradiação com uma tonalidade azul-violeta específica, igual à índigo, que é encontrada em uma planta[8] na Índia.

A aura das crianças índigo projeta tonalidade azul-violácea, o que denota o nível de sua evolução. Quanto mais o Espírito é evoluído, mais o seu corpo espiritual (perispírito) também o é.[9] Sendo assim, as vibrações das moléculas quintessenciadas que o compõem vibram em maior frequência, trazendo a coloração índigo.

Indigofera tinctoria

Essas crianças têm-se constituído um grande desafio para a pedagogia, para a psicologia, para o relacionamento interpessoal, porque algumas delas, desde os dois anos, rebelam-se contra o formalismo, contra tudo aquilo que existe, produzindo uma grande dificuldade para os adultos na escola, no lar, no recreio... As crianças índigo têm constituído um desafio para psicólogos, para psiquiatras, para neurocientistas, que as examinando, de imediato, percebem-lhes a hiperatividade, a insatisfação, desde que não aceitam orientação imposta, possuindo a capacidade de enfrentar os adultos como se fossem pessoas igualmente adultas.

Esse comportamento vem criando graves reações psicológicas nos pais e educadores, que se veem a braços com a necessidade de criar novos métodos pedagógicos e novas te-

---

8 – **Indigofera tinctoria** *é seu nome científico. Plantações de índigo tiveram um papel fundamental no movimento de independência da Índia Britânica. Gandhi liderou o movimento de direitos, o qual foi apoiado pelas pessoas mais pobres das pequenas cidades e vilas, muitas das quais trabalhavam em fábricas de índigo.*
9 – *Ver aprofundamento sobre o perispírito no capítulo XIV, de* A Gênese, *por Allan Kardec.*

rapias muito diferentes das convencionais até este momento aceitas.

As crianças índigo não se submetem a ordens, não obedecem a filas, não ficam quietas, e, às vezes, parecem saber mais do que os adultos, embora não o possam expressar corretamente, o que normalmente choca seus pais e educadores.

4

UM CASO SOBRE
CRIANÇA ÍNDIGO

Como o tema é um pouco árido, eu me permito contar-lhes uma experiência pessoal. Na Mansão do Caminho, nossa instituição infantojuvenil, tínhamos um menino de cinco anos, que era tão terrível que eu lhe coloquei o nome Júlio 'Terror'. Ainda não havia o terrorismo, mas o meu menino era um *terrorista*. Ele sabia de tudo, estava sempre no lugar que não devia, na hora errada, falava o que não era próprio, não ficava quieto, e não sabíamos como educá-lo. Eu usei todos os métodos possíveis: o carinho, ele me agredia; a severidade, ele não obedecia; deixei-o por conta própria, e ele ficou aborrecido.

Certo dia, eu estava trabalhando quando o interfone me chamou e o porteiro da Instituição me informou:

– "Senhor Divaldo, aqui tem uma senhora que quer lhe falar."

Eu respondi:

– "O senhor sabe que eu não atendo neste horário, porque sempre me encontro muito ocupado, atendendo a deveres intransferíveis. Peça-lhe que volte à noite."

O porteiro respondeu-me:

– "Ela, porém, está insistindo muito."

Eu, desagradado com a resposta, redargui-lhe:

– "Informe-a que somente será atendida à noite, porque agora eu não estou." – E desliguei o fone.

Quando eu terminei o diálogo, saiu de debaixo da minha mesa, Júlio 'Terror'... Eu houvera proferido uma palestra para crianças sobre a mentira, no domingo anterior. Aquele dia era a terça-feira, que seguia ao das informações que eu lhes ministrara.

Quando ele saiu de sob a mesa, olhou-me, sorrindo, zombeteiro, e censurou-me:

– "Mentindo, hein!?"

Eu o olhei com a autoridade de adulto e indaguei-lhe em tom forte de voz:

– "Quem é que está mentindo?"

– "Você!" – redarguiu.

Ele não tinha medo. Fitei-o, sério, e tentei esclarecer, informando:

– "Júlio, eu não estou mentindo. Eu estou dizendo que não me encontro lá na portaria."

Ele sorriu, afirmando:

– "Outra mentira! Porque você está dizendo é que não está na Mansão do Caminho. E você está..."

Eu peguei o fone e falei ao porteiro:

– "Diga à nossa irmã, se ainda estiver aí, que eu já cheguei."

Não foi suficiente para convencer o menino, porquanto ele, novamente, confirmou:

– "Outra mentira! Porque você não saiu, como é que chegou?"

Tratava-se de um menino índigo. Eu concluí, elucidando:

– "Julinho, eu, às vezes, também minto."

E ele considerou:

– "Mas, não deve."

Eu justifiquei:

– "Há dois tipos de mentira: a mentira branca que é uma desculpa, e a mentira pesada, a negra."

Ele, surpreso, exclamou:

– "Ah! Até a mentira sofre preconceito de cor?!."

Eu encerrei o diálogo, com ternura e amor, propondo:

– "Julinho, pelo amor de Deus, vá-se embora, por favor, e depois conversaremos."

Julinho 'Terror' era índigo. Tudo que lhe falávamos, ele perguntava: *"Por quê?" "Meu filho, não se sente aí." "Por quê?" "Porque você vai se ferir." "Como é que você sabe?".*

Certo dia ele estava subindo no muro, e eu lhe propus: –*"Julinho, desça daí."*

–*"Por quê?"*

– *"Porque você vai cair."*

–*"Como é que você sabe?"*

– *"Porque todo mundo cai."*

"Ah! Mas eu não vou cair." – E realmente não caiu.

5

CRIANÇA ÍNDIGO E HIPERATIVIDADE

O índigo é essa criança rebelde, que muitas vezes é confundida com o hiperativo e cria uma terrível dificuldade na educação, porque ela não fica quieta durante a aula, não tem capacidade de manter a atenção, tem sempre uma resposta nova, quase atrevida, para qualquer problema. E os adultos, que estamos acostumados a impor, a dominar, entramos em área de atrito.

Importante notar a diferença entre os que são índigo dos hiperativos. O que é a criança hiperativa? De acordo com as observações científicas do Instituto Nacional Americano de Drogas de Abuso (NIDA), a desordem de atenção deficitária e hiperatividade consistem num padrão persistente de níveis anormais de atividade, impulsividade e desatenção que aparecem com maior frequência e maior severidade do que tipicamente observado em indivíduos em níveis comparáveis de desenvolvimento.

A hiperatividade é um sinal de que algo está em desajuste. A hiperatividade em si mesma não classifica o índigo. Ela pode ser um dos sinais comportamentais da criança índigo. Espiritualmente falando, tendências de vidas passadas, mediunidade e obsessões espirituais podem induzir à hiperatividade. O Dr.

Ian Stevenson, em seu memorável livro Children who remember previous lives, e Santo Agostinho, em O Evangelho segundo o Espiritismo (capítulo 14), observam que há comportamentos infantis que estão correlacionados a trejeitos de experiências pregressas. Particularmente, emoções inexplicáveis perante a família como, por exemplo, o medo, os interesses, as preferências e as habilidades apresentadas espontaneamente na criança. Daí a importância acentuada de os pais e educadores observarem com atenção o comportamento das crianças a fim de poderem educá-las com eficácia.

A Dr.ª Nancy Ann Tappe[10] estabeleceu que as crianças índigo são seres especiais. Foi ela uma das pioneiras[11] nos Estados Unidos a estudá-las. Ela diz que são seres especiais porque são almas velhas que, ao encarnarem em um corpo limitado, sentem dificuldades de uma saudável vivência. Como o seu nível de inteligência é muito alto, porque vêm de uma região espiritual mais elevada, aqui não encontram a resposta nem os recursos adequados para desenvolverem as suas aptidões. Digamos que esses Espíritos estão trabalhando o nosso hemisfério cerebral direito. Como nós, ocidentais, durante milênios, trabalhamos o hemisfério esquerdo – a lógica, a matemática, a razão –, eles vêm agora desenvolver o campo artístico, a beleza, a harmonia, o sexto sentido, a visão especial. E são considerados como "crianças diferentes", sendo realmente diferentes.

---

10 – **Nancy Ann Tape** *foi a primeira a usar esta terminologia e descrever crianças índigo na publicação de seu livro* Understanding Your Live Through Color *em 1982.*

11 – *De acordo com o livro* "According to Edgar Cayce on the Indigo Children" *por Peggy Day and Susan Gale, o médium Edgar Cayce trouxera revelações sobre crianças índigo e a cor de suas auras muito antes dos estudos de Ann Tape.*

As estatísticas revelam que elas começaram a chegar no século passado, por volta de 1970. E que nos anos noventa, o seu número já era muito grande, o que constituiu um grave problema para a neurologia, para a psiquiatria, que, no seu código de classificação referente às doenças, havia estabelecido que uma criança que não tem atenção, irrequieta, revela ser portadora de alguma patologia, como autista ou hiperativa.

A evolução farmacêutica conseguiu produzir um produto químico de nome Ritalina, com excelentes efeitos para o aparente equilíbrio dessas crianças. De imediato, começou-se a aplicá-la até mesmo abusivamente. A partir de 2000, o número estatístico de aplicação de Ritalina chegou a 600%, porque é uma droga que relaxa, mas que não proporciona à criança a mudança de conduta esperada. Acalma-a, pois que as substâncias são absorvidas pelos neurônios, produzindo uma certa quietação.

Os especialistas modernos dizem que as crianças índigo tratadas com a Ritalina correm o perigo de, na hora em que deixarem de usar o produto, passar ao uso de outras drogas químicas que geram dependência.

Se examinarmos a percentagem da drogadição na infância e na juventude, em nossos países, descobrimos que é alarmante, porquanto isso constitui uma fuga da realidade, em face da dificuldade desses jovens encontrarem a realização interior de que têm necessidade. O jovem moderno normalmente se apresenta frustrado, sem ideal, vivenciando uma existência vazia...

Aqui, nos Estados Unidos, o teólogo e psicólogo Dr. Rollo May[12] estabeleceu que os valores sociais enobrecedores

---

12 – ***Rollo May*** *(1909-1994) foi um dos mais conhecidos psicólogos existencialistas que escreveu o livro* "Love and Will" *em1969.*

desapareceram, dando lugar ao *vazio,* e a juventude perdeu o sentido psicológico da vida. Como consequência, os jovens apresentam-se indiferentes, ociosos, com as exceções compreensíveis, passando a ter experiências sexuais muito cedo – 12 anos, 14 anos –, porque também houve um amadurecimento muito precipitado das glândulas genésicas. Alguns, aos 16, 18 anos, já estão saturados dos prazeres sexuais, passando ao de drogas estimulantes, aditivas, algumas das quais induzem a estados alterados de consciência, terminando por tornar-se patológico.

6
TIPOS DE CRIANÇA ÍNDIGO

Os estudiosos dividiram essas crianças índigo em quatro tipos especiais:
- as humanistas,
- as artistas,
- as conceituais e
- as interdimensionais ou transdimensionais.

As crianças **humanistas** são aquelas que têm uma natural tendência para ajudar. Mesmo na inquietação que lhes é peculiar, são generosas, gentis, embora não fiquem quietas ou sejam obedientes. É necessário saber lidar com as suas características conversando naturalmente, dando-lhes segurança psicológica e procurando sempre evitar dizer-lhes que são especiais. Não é correto rotular nenhuma criança, seja com qual designação for. Ela é apenas criança e assim deve ser vista, orientada e amada.

O Dalai Lama estava, certa feita, numa grande reunião. Vendo, no auditório, uma criança, solicitou que ela viesse ter com ele no palco. A criança, que parecia índigo, acercou-se. O Dalai Lama ficou muito comovido e propôs-lhe.

– "Diga o que você quiser."

Ele pegou o microfone e anunciou:

– "Eu tenho câncer, mas eu sou uma criança. Eu quero brincar. Todos me dizem o que fazer, no entanto, eu só quero brincar. Depois, que tomem conta do meu corpo. Mas eu sou criança…"

O Dalai Lama comoveu-se e o público imenso também, porque, sendo índigo, mas canceroso, os pais não lembravam que antes era uma criança, impondo-lhe regras como: *"Você não pode correr, você não pode…, você não pode…"* Ao que sempre redarguia: *"Eu posso, embora eu não deva. Mas, eu posso. Nem que eu morra. Como criança, eu tenho o direito de brincar."* Era um humanista. Teria facilidade imensa de se ajustar às demais criaturas, pela sua capacidade de amar, de se autoamar.

As crianças índigo que são **artistas** têm uma inquietação especial, como sucede com quase todo artista. O artista convencional é uma *criança* que não está satisfeita, que não se interessa pelas doutrinas científicas, raramente pelas excogitações filosóficas. Interessa-se total e emocionadamente pela arte.

As crianças do grupo artístico são mais numerosas em nossa sociedade do que imaginamos.

A criança índigo-artista tem a capacidade de transformar tudo o que encontra no lar, procurando criar novas formas, propondo diferentes aspectos. Para os adultos, essa atitude criativa torna-se um problema, em face das complicações a que dá lugar.

Há uma experiência muito curiosa a esse respeito, quando uma avó recebeu a visita de sua filha com sua criança portadora dessa peculiaridade, e que se deteve diante de uma linda caixa de música. Quando a música começou a tocar, a criança pegou-a e arrebentou-a, para desgosto de ambas as senhoras. Mas a avó, que tinha uma boa percepção das ocorrências infantis, olhou-a, e perguntou-lhe com naturalidade:

— "Você tem brinquedo?"

— "Sim, tenho."

— "Você gostaria que eu quebrasse o seu brinquedo?"

— "Não."

— "Assim também sou eu. Eu não gosto que uma criança venha na minha casa e quebre o meu brinquedo."

Então a criança percebeu o seu erro, pediu desculpas, reuniu os pedaços, e afirmou, convicta:

— "Eu vou consertar tudo, está bem?"

Os índigos **conceituais**, por sua vez, têm grande aptidão para a música, para a solidariedade, para o trato social com as outras pessoas.

A criança **interdimensional** ou **transdimensional** vê os Espíritos desde cedo, identifica-lhes as auras, percebe-lhes os sentimentos.

Na *Mansão do Caminho*, tivemos uma criança que, aos quatro anos, chegava-se até mim, olhava-me com seriedade como se me estivesse informando:

— "Eu conheço você."

Na primeira vez, eu enfrentei-a com o olhar e logo mudei a direção das vistas. Então, ela perguntou-me em tom de desafio:

— "Está com medo de mim?"

Eu voltei os olhos e encarei-a. Ficamos uns dois minutos olhando no olho um do outro, em prolongado silêncio. Transcorrido algum tempo, ela respirou e indagou-me:

— "Tio, nós nos conhecemos, não é verdade?"

— "Conhecemo-nos, sim – respondi-lhe –, porque você avisou-nos antes que iria reencarnar-se."

Foi muito comovente este fato, porque, numa reunião mediúnica, um Espírito se me incorporou e Nilson de Souza Pereira (*cofundador da Mansão do Caminho*) dialogou com ele, terna e demoradamente, o que se repetiu por três reuniões. Quando ele adquiriu consciência da realidade, Nilson informou-o:

– "Você vai reencarnar-se na Terra. Tudo lhe será diferente, especialmente em relação aos seus sentimentos atuais. Nessa oportunidade, não irá ter necessidade de odiar, mas somente de amar".

Naquela ocasião, fazíamos atas ou gravávamos as ocorrências mediúnicas, a fim de averiguarmos posteriormente a exatidão das informações,[13] e as arquivávamos.

Oito anos depois, eu me encontrava numa das dependências do *Jardim da Infância* da *Mansão do Caminho*, quando veio esse menino e me encarou. Dando-me conta de quem poderia ser, fixei-o também, facultando-lhe a chance da interrogação: "Nós nos conhecemos, não é?".

Naquele momento, ele teve uma lembrança da reencarnação anterior, do período em que se encontrava no mundo espiritual, e prosseguiu esclarecendo-me:

– "Eu falei pela sua boca, enquanto Tio Nilson me informava que eu ia voltar... E eu voltei."

Naturalmente emocionado, eu concluí o diálogo especial:

---

13 – *Reuniões mediúnicas, nos Centros Espíritas, ocorrem com uma proposta séria de desenvolvimento da mediunidade, faculdade orgânica inerente a todo ser humano. Juntamente a esta proposta útil, essas reuniões também têm o objetivo de socorrer Entidades espirituais que estejam necessitadas, sofridas ou apegadas às atividades da Terra. Para tanto, necessita-se de uma equipe séria e comprometida, como esclarecido no Capítulo XXIX de* O Livro dos Médiuns, *por Allan Kardec.*

– "Voltou, sim, para amar e ser feliz."

Era uma criança índigo. É impressionante constatarmos como esses Espíritos, mesmos reencarnados, têm a memória do passado, como conversam com lucidez, quando o querem! A família, estando desinformada, acredita que se trata de alucinação, de fantasias, em razão de estarem na fase lúdica.

Em verdade, porque se encontram em fácil contato com o Mundo espiritual, tudo lhes é natural, não havendo nenhuma barreira separatória, senão vibracional.

Essas crianças interdimensionais conseguem ver a aura das pessoas, porque a sua percepção transcende a forma material de que se utilizam. Em nossa Instituição, eu falo para todas as crianças desde os dois anos, individualmente ou em pequenos grupos, a respeito da vida espiritual, da realidade do ser humano e da sua natureza transcendental, e elas entendem-me, perfeitamente, conforme a capacidade dos seus conhecimentos.

Tivemos, por exemplo, o Antônio, que, aos três anos de idade, após uma conversação carinhosa que mantivemos, abraçou-me, e perguntou, sorrindo:

– "Tio, que luz era aquela que brilhava na sua cabeça como se fosse o Sol?"

Como criança tem muita imaginação, de improviso, respondi-lhe:

– "Deve ser o Sol."

Mudando o tom de voz, ele afirmou:

– "Não era o Sol, porque você mudava a cabeça e ela acompanhava o movimento. Você saiu de lá e estou vendo-a da mesma forma. Ela é de uma cor ..., de uma cor...".

Convencido da realidade, eu apontei para algo colorido e perguntei-lhe:

– "Daquela cor?"

– "Não! É outra cor."

Tratava-se da cor violeta, que não lhe era familiar. Olhando em volta, ele apontou para uma flor e informou-me:

– "É aquela." – Tratava-se da cor violeta.

Eu sabia, porque o meu guia espiritual quando se me acerca, produz essa tonalidade do arco-íris, com predominância do tom azul violáceo. É um tom que denota elevação. As cores fortes – o vermelho, o amarelo ouro, o verde –, chamadas cores quentes, são representativas da sensualidade, da materialidade, do atraso moral. As cores tênues, suaves – os violáceos – são tonalidades de alta espiritualidade. Não podia aquela criança de três anos ter a menor ideia em torno de algo desta natureza.

Acompanhei-lhe o desenvolvimento, e revelou-se um admirável médium. Prosseguiu vidente, discernindo as percepções da clarividência, passou a escrever automaticamente, a divulgar a Doutrina dos Espíritos, e hoje viaja por diversas cidades do Brasil para convidar as pessoas a pensarem na sua realidade de seres espirituais que todos somos.

As crianças índigo estão alterando as tradições, exigindo uma nova metodologia pedagógica, uma forma significativa e mais elevada de expressar e viver o amor.

7

NOVA PEDAGOGIA
PARA A NOVA GERAÇÃO

Henrique Pestalozzi, o grande educador suíço, no fim do século XVIII e começo do XIX, apresentou uma diferente e adequada proposta educacional, que se chamou Pedagogia Nova. A educação, antes dele, era perversa, pondo as crianças sob castigos físicos, resultantes da ignorância que dominava entre os encarregados da sua formação moral e cultural. Existia uma tradição entre esses educadores, especialmente os religiosos, que afirmava: "Quando o sangue sai, o conhecimento entra". Tirando-se o sangue do aprendiz, introduziam o conhecimento, conforme pareciam crer.

Pestalozzi estabeleceu métodos dignificadores e humanos, tomando como base a psicologia infantil. Não se pode falar a uma criança, acreditava ele, como se faz de referência a um adulto. Não se pode dar uma aula a uma criança da mesma maneira como é ministrada numa universidade. Seu nível intelectual, de consciência, é infinitamente diverso daquele que já atingiu outro patamar de desenvolvimento emocional e mental.

Desse modo, foi pioneiro na educação infantil, tendo por fundamento o amor, a compreensão das necessidades da criança. Nessa época, o grande pedagogo Fröebel[14] criara os primeiros jardins de infância, e logo depois, um século, mais ou menos, uma mulher notável, a Dr.ª Maria Montessori[15] criou as escolas infantis, propondo métodos eficientes de educação para as gerações novas.

De fato, Maria Montessori, na *Casa dei Bambini*, em Roma, deu início a uma era nova, antecipando o período em que surgiriam as crianças índigo.

Conta-se que, oportunamente, uma dama muito rica foi visitá-la e interrogou-a:

– "Senhora, eu queria saber quando deverei começar a educar meu filhinho?"

E a Dr.ª Montessori indagou:

– "Que idade tem o seu filhinho?"

A senhora respondeu:

– "Meu filhinho está com um ano."

– "Então corra, senhora, vá educá-lo rapidamente, porque você já perdeu os melhores 21 meses daquela vida."

– "Como 21? Ele só tem 12 meses!"

– "Fora do ventre – respondeu –, porque dentro, esteve nove. A educação começa no ventre, acariciando-o, di-

14 – **Friedrich Wilhelm August Fröebel** *(1782–1852) foi um dos precursores da moderna educação, em que se reconhece que as crianças têm necessidades e capacidades específicas.*

15 – **Maria Montessori** *(1870-1952) foi a primeira mulher a se tornar médica na Itália. Ela iniciou os trabalhos em pediatria e observou que as crianças com problemas mais precisavam de educação especial do que tratamento médico. Foi quando ela montou uma escola e começou a se preocupar em entender a maneira com a qual as crianças aprendiam. Ela foi definitivamente a pioneira da educação moderna atual, utilizando-se de técnicas que hoje são chamadas* **Método Montessori.**

zendo: *'eu te amo, seja bem-vindo, você é um anjo para a minha vida'...*"

Segundo outros biógrafos da extraordinária médica e educadora, quando a pessoa perguntou-lhe em que momento deveria iniciar a educação do filho, ela teria respondido que, "desde há vinte anos", equivalendo ao tempo em que a mãe deveria ter iniciado a própria educação para melhor saber transmiti-la.

Andrew Jackson Davis[16] foi também um dos pioneiros na ideia da importância da vida pré-natal para o ser que renasce.[17]

Na tese de Maria Montessori, é necessário educar o recém-nascido, através da criação de hábitos saudáveis: a hora de amamentar, de dormir, de evacuar. Toda vez que a criança chora, a inexperiência maternal supõe que se trata de fome e impõe o alimento. Não é somente isso o que pode estar ocorrendo. A criança chora por muitos motivos, e como não sabe falar, expressa-se através do desconforto do choro. Pode ser, portanto, uma dor, porque está molhada, indisposta, com frio ou com calor...

Necessário, portanto, que lhe sejam criados hábitos saudáveis. É normal a criança dormir de dia e estar desperta, chorando, à noite, o que constitui um sacrifício para os pais.

Tentando minimizar o problema, tenho amigos que estabelecem programas: nos dias pares, a mulher toma conta, à noite; nos dias ímpares, o marido encarrega-se da noi-

---

16 – **Andrew Jackson Davis** *(1826 – 1910) – Considerado um dos principais precursores do Espiritualismo Moderno. Respeitado clarividente norte-americano, autor de* The Principles of Nature, Her Divine Revelations, and a Voice to Mankind, *dentre outros livros.*

17 – Harmonial Philosophy, *vol III, item* Psychological State, *por Andrew Jackson Davis.*

te. Somente que, nos dias pares, há um maior número – segunda, quarta, sexta e domingo –, ficando para a mulher, enquanto terça, quinta e sábado ficam para o marido, que desfruta de vantagem...

Montessori, que entendia o ser infantil, criou a metodologia correta para uma educação adequada, assim, propiciando o surgimento de escolas que lhe preservam o nome venerando, as quais se adaptam à criança índigo dos nossos dias.

No fim do século XIX, reencarnou-se na Europa, na Áustria, um homem notável, Rudolf Steiner. Steiner criou uma técnica de educação que revolucionou o século XX, também estruturada no amor em relação à criança. Não é importante somente transmitir informações – ensinava Steiner –, que são necessárias, mas o fundamental é a doação de amor. Equivale dizer, a função educativa não é somente a de instruir, mas também facultar o surgimento dos hábitos edificantes, que somente o amor consegue insculpir no cerne do ser. Segundo Steiner, educar é a harmonia entre arrancar do íntimo o conhecimento e condicionar os hábitos edificantes.

Os técnicos da psicologia índigo concordam que os Métodos Montessoriano e o Waldorf são os mais eficientes para a educação das crianças da Nova Era. E por quê? Porque as crianças índigo necessitam de mais ampla compreensão educacional, a fim de poderem desempenhar o seu papel na construção do novo mundo.

Os estudiosos das crianças índigo recomendam que seja feita com elas uma experiência educacional à base do amor e mais amor, porque, na cultura hodierna, pela necessidade de os pais trabalharem, perde-se muito cedo o contato e o afeto com os filhos, delegando a tarefa a pessoas remuneradas, algumas competentes, outras menos, porém, sem o sentimento profundo da afetividade. Mandam-nas às escolas muito cedo, contratam funcionários que nem sempre têm condições de os representar, nem paciência para lidar com essas crianças, que facilmente se rebelam, sentem-se desprotegidas, abandonadas, desamadas, quase sempre recorrendo à violência.

Ainda que as crianças índigo tenham reencarnado com propostas de regeneração e renovação de si mesmas, bem como da Humanidade, há que se recordar sobre a importância da fase infantojuvenil para a sua instrumentação, a fim de que alcancem êxito nos seus planos reencarnatórios. Na pergunta 383, de O Livro dos Espíritos, Allan Kardec indagou sobre a finalidade da infância para o Espírito reencarnante. A resposta dos Espíritos nobres foi lógica e enfática: "O Espírito, encarnando para se aperfeiçoar, é mais acessível, durante esse tempo, às impressões que recebe e que podem ajudar o seu adiantamento, para o qual devem contribuir aqueles que estão encarregados de sua educação.[18]"

Recentemente, as neurociências começaram a compreender a peculiaridade dos primeiros anos de vida e seu impacto de longo prazo na fase adulta. O primeiro trabalho científico a constatar esta evidência foi publicado na respeitada revista científica *Science,* em 2002, pelo grupo da pesquisadora norte-americana Dr.ª Maria Ruda[19] do *National Institutes of Health (NIH)* e, mais tarde, confirmados e aprofundados pelas investigações do grupo de neurocientistas da Universidade de Maryland, entre os quais a Dr.ª Vanessa Anseloni. Esse grupo demonstrou que há um período crítico na fase neonatal que definirá os circuitos neuronais,

---

18 – O Livro dos Espíritos *por Allan Kardec, publicado pela Federação Espírita Brasileira (FEB).*

19 – "Altered nociceptive neuronal circuits after neonatal peripheral inflammation", *artigo publicado na revista científica* Science *em 2000.*

bem como sua regulação gênica, os quais influenciarão largamente nas habilidades cognitivo-comportamentais do ser na vida adulta. Concluindo a partir de então a importância dos primeiros anos de vida.[20]

Neste sentido, a criança índigo não deve ser reprimida, mas sim, esclarecida. Quando ela percebe o que é, sente-se bem, conscientiza-se. Mas, o que acontece com aqueles pais que não têm sensibilidade para entender o feliz relacionamento com os filhos dessa classe? Revoltam-se, castigam-nos, e eles desenvolvem o sentimento de ira, de mágoa, podendo tornar-se criminosos seriais. Isto porque perdem a sensibilidade. Sentindo-se desrespeitados, fazem-se profundamente agressivos.

Há também o outro extremo em que pais não querem desapontar seus filhos, por considerarem-nos especiais, índigos. Esta atitude não seria adequada, devido a ir em contramão ao papel fundamental da paternidade, que é o de educar e guiar seus filhos, ainda que estejam diante de almas mais sensíveis.

Para auxiliar na educação de crianças em geral, e principalmente de crianças índigo, deve-se investir numa educação mais espiritualizada, em que os pais e os filhos aprendam a ver-se, bem como um ao outro, como seres milenares, em mais uma preciosa experiência na carne, na reencarnação. O grande educador espírita Eurípedes Barsanulfo[21] afirmou, há mais de um século, que se deve conversar e educar a criança e o jovem, fa-

---

20 – "Alterations in stress-associated behaviors and neurochemical markers in adult rats after neonatal short-lasting local inflammatory insult", *artigo publicado na revista científica* Neuroscience *em 2005.*

21 – **Eurípedes Barsanulfo** *(1880 – 1918) – Espírita renomado, nasceu em Sacramento, Minas Gerais – Brasil. Médium e educador exemplar, fundou a primeira escola espírita do mundo em 1907, o Colégio Allan Kardec, na referida cidade de Sacramento.*

lar-lhe, de espírito para espírito, olhando-se nos seus olhos, exercitando o carinho para com eles. Para tanto, formando novos hábitos, a fim de verdadeiramente educar-se o novo ser reencarnante. Nos EUA, a educadora Mimi Doe escreveu um livro que se celebrizou recentemente devido à sua profundidade. O livro "Dez Princípios para a Paternidade Espiritual" (Ten Principles for Spiritual Parenthood) oferece diretrizes preciosas de como se realizar com eficácia este novo modelo de paternidade baseado no paradigma espiritual.

8

CRIANÇAS CRISTAL

Espíritos mais elevados igualmente estão chegando à Terra, a fim de auxiliarem na grande transição planetária. São as crianças denominadas ***cristal***. Aquelas que não são rebeldes, mantendo-se silenciosas, observadoras, responsáveis. De início, parecem ter dificuldade de se expressarem verbalmente, o que logram, quase sempre, a partir dos 3 anos de idade. Não são irrequietas como as índigo. São muito introspectivas, gentis, amorosas...

Quando olhamos o quadro "***O Príncipe da Paz***", feito por Akiane,[22] uma criança de oito anos,

22 – ***Akiane Kramarik***, aos seus 11 anos de idade, foi considerada internacionalmente a única criança prodígio-gênio binário, nos gêneros de pintura e poesia. Ela entrou para o Hall da Fama de Crianças. Autora de dois livros "Akiane: Her Life, Her Poetry" e "My Dream is Bigger than I: Memories of Tomorrow".

somos dominados pela surpresa, e quase não acreditamos. Eu o olho, neste momento, e fico emocionado (*O quadro estava exposto no auditório durante a conferência de Divaldo Franco*). Nada mais expressivo do que um fato, para demonstrar a verdade. Essa criança-pintora não é comum nem apenas genial, é quase transcendental. Se a consideramos gênio, é pouco, porque, na pintura, Rafael Sanzio, aos nove anos de idade, já pintava na Galeria dei Uffizi, em Florença, tendo no lado oposto Michelangelo, também pintando. Pois ela, desde os quatro anos que pinta de uma maneira transcendental. Não se trata de uma criança índigo, pois é superior em beleza e tranquilidade, mas sim, *cristal*. A sua mensagem, rica de doçura, é a captação perfeita do rosto daquele Homem invulgar, além das perspectivas físicas. Os olhos são estrelas incomparáveis. Desde ontem, à noite, quando eu vi a tela por primeira vez, fiquei impressionado. Porque, além da beleza plástica e da mensagem que transmite, eu descobri que, num desses olhos, há uma lágrima delicada, uma lágrima de compaixão, de misericórdia.

Uma criança comum, de oito anos, não teria como penetrar o âmago da figura retratada, tornando-a uma grande mensagem de vida e de esperança.

Esta é uma mensagem que nos chega num momento muito próprio, porque há três anos, mais ou menos, a BBC de Londres esteve fazendo um levantamento antropológico para tentar descobrir como teria sido a aparência de Jesus. Conseguiram alguns DNAs de pessoas hebraicas do primeiro século depois d'Ele. Após vários processos de reconstrução humana, levantou-se a possibilidade, graças ao computador, de que Jesus teria aquele aspecto. Para surpresa, quase geral, a aparência desse Jesus é um tanto agressiva, pelo aspecto brutal, com os lábios grossos, semblante duro, bem diferente daquele que disse: *"Eu sou a vida, eu sou o caminho para Deus, eu sou a verdade, eu me dou em holocausto por amor"*, que era um Ser sublime e veio ter conosco, em nome de Deus, para nos proporcionar felicidade total.

Comparo aquele Jesus de computação com este Jesus da revelação – *do quadro "O Príncipe da Paz", de Akiane* – e prefiro este, porque me fala mais ao sentimento, à emoção.

Quando me explicaram como Akiane o pintou, eu fiz a ponte: a ciência de computação produziu um Jesus frio, enquanto a ciência do espírito compôs um Homem belo e amoroso, que na face reflete a nobreza interior de que é possuidor.

Quando saiu aquela fotografia de Jesus computadorizada, eu achei bastante estranho o processo de elaboração, porque se escolhessem o meu DNA para poder definir como era determinada pessoa do século XXI, um tipo brasileiro como eu seria apresentado com as características que me tipificam. Se, todavia, fosse tomado um DNA de alguém americano do norte, ter-ser-ia um tipo muito diferente. Se fora de um asiático, é claro que se encontraria um outro biótipo, e assim por diante... Então, a tese me pareceu propositalmente ferina para, talvez, menoscabar, consciente ou inconscientemente, a figura de Jesus. Mesmo que o DNA haja sido de um hebreu que teria vivido naquela época, depreender-se-á que havia muitos tipos humanos pertencentes a esta *raça*.

No ano de 2003, foi publicado o livro de Dan Brown, *O Código Da Vinci*, no qual se percebe uma forma de diminuir a grandeza moral de Jesus, informando que Ele manteve relacionamento sexual com Maria de Madalena, e que os seus descendentes ainda vivem no sul da França... Trata-se de riquíssima imaginação, aliás, respeitável, do escritor, que teria colhido esses dados em fontes que considera autênticas, especialmente em alguns dos evangelhos apócrifos. Pela sua originalidade e trama romântica, é um dos livros mais vendidos no mundo nos últimos anos. E, por consequência, outros livros que ele tinha escrito, mas sem grande interesse do público, assim como outros que escreveu depois, passaram a ser considerados verdadeiros sucessos. Eu vi, nas ruas de Nova Iorque, a propaganda de *Decifrando o Código Da Vinci*. Tais obras tornaram-se uma literatura imaginativa muito bonita, mas sem apoio histórico, sem confirmação do Mundo espiritual, que jamais se reportou a Jesus na sua condição referente a relacionamentos sexuais, especialmente com Maria de Madalena.

Então, vêm esses seres *cristais*, neste momento, para desenvolverem a futura humanidade.

Allan Kardec, em 1868, publicou o livro chamado *A Gênese*. Nessa obra monumental, ele refere-se a esses seres, certamente com outras palavras, que constituiriam "**A nova geração**. Os espíritos que virão de outra dimensão para promoverem o progresso da humanidade". Emigração e imigração de Espíritos, indo de um planeta para o outro em contínuo intercâmbio. Como a Terra está vivendo a hora da grande transição, aqui encontramos Espíritos primários, perversos, mas também de outras estirpes mais elevadas, envolvidos na obra de transformação do planeta *de provas e expiações para mundo de regeneração.*

Desde aquela época, Allan Kardec já descrevia que *"a época atual é de transição; confundem-se os elementos das duas gerações. Colocados no ponto intermédio, assistimos à partida de uma e à chegada da outra, já se assinalando cada uma, no mundo, pelos caracteres que lhes são peculiares.*

"A nova geração se distingue por inteligência e razão geralmente precoces, juntas ao sentimento inato do bem e a crenças espiritualistas, o que constitui sinal indubitável de certo grau

de adiantamento anterior. Não se comporá exclusivamente de Espíritos eminentemente superiores, mas dos que, já tendo progredido, se acham predispostos a assimilar todas as ideias progressistas e aptos a secundar o movimento de regeneração.

"O que, ao contrário, distingue os Espíritos atrasados é, em primeiro lugar, a revolta contra Deus, pelo se negarem a reconhecer qualquer poder superior aos poderes humanos; a propensão instintiva para as paixões degradantes, para os sentimentos antifraternos de egoísmo, de orgulho, de inveja, de ciúme; enfim, o apego a tudo o que é material: a sensualidade, a cupidez, a avareza."[23]

Enquanto os Espíritos atrasados geram conflitos, outros aqui se encontram, como os apóstolos Madre Tereza de Calcutá, Francisco Cândido Xavier, que foram, certamente, *crianças cristal.* Francisco Cândido Xavier, por exemplo, desde os quatro anos de idade conversava com os Espíritos, tornando-se, através dos tempos, um médium incomparável. Eu fruí a bênção de poder conviver com ele por um período de mais de 40 anos, visitando-o periodicamente, já que morávamos em cidades distantes uma da outra. Ele era um médium tão notável que, na convivência, emanava perfumes, os mais variados, e mesmo éter curativo. Estávamos ao seu lado e sentíamos ondas contínuas de agradáveis aromas. Certo dia, trouxeram-nos uma bandeja com xícaras de café – o café pequeno, não o americano, em xícaras pequeninas. Ele pegava uma, diante das luzes acesas no ambiente, e a oferecia a alguém. Na xícara escorria, por exemplo, perfume de violeta. Pegava outra, e o perfume era de rosas... Cada xícara apresentava um perfume suave e espe-

---

23 – *A Gênese, por Allan Kardec, capítulo 18, item 28.*

cial que nos fascinava. Que aconteceu? Quase todos ficaram com a sua respectiva xícara. *Furtaram* fraternalmente as xícaras perfumadas como lembrança perene desse momento.

Certo dia, ele estava conversando, quando começou a brilhar uma luz no seu tórax, e os presentes ficaram olhando-a, deslumbrados, já que o brilho atravessava-lhe a roupa. Discretamente, ele puxou o paletó para ocultá-la. Então, os amigos, emocionados, disseram: "Chico, é uma luz maravilhosa!"

Comovido, procurou disfarçar o fato, efeito do seu ectoplasma que se exteriorizava em energia luminosa. Também materializava Espíritos, a ponto de serem vistos com detalhes, incluindo Emmanuel, seu guia e mentor, conduzindo um archote luminoso. Os Espíritos, porém, propuseram que essa energia – ectoplasma – fosse canalizada para curas ao invés de apenas fenômenos de efeitos físicos. Se alguém lhe apertava a mão ou o abraçava, recebia dúlcida onda vibratória, e, não poucas vezes, estando enfermo, renovava-se e curava-se... Vi pessoas loucas chegarem agressivas, amarradas, e ele, tocando-lhes a testa, interrogava: "Como vai, meu filho? Podem soltá-lo." E a pessoa ficava tranquila e em paz.

Estamos em uma era nova. *Felizes*, como disse Jesus, *os que têm olhos e veem, os que têm ouvidos e ouvem*. É provável que aqui se encontrem muitas pessoas *índigo* e talvez algumas *cristal*, e o ignoram.

Cuidemos dos nossos filhos, da nova geração, para que possam, filhos e geração, construir um mundo no qual a violência ceda lugar à paz, o ódio ofereça a premissa do amor, a revolta sistemática ceda lugar à alegria e em que nos abracemos realmente sem angústias, sem dores. Esses dias são anunciados pela Bíblia como *o fim dos tempos*, não, porém, assinalados apenas por tragédias, mas término dos tempos maus: de guerras, de ódio, de horror...

Posso afiançar aos senhores, eu que tenho tido contato com os Espíritos desde os quatro anos de idade, e que hoje, aos 78 anos, posso adiantar, repito, que essa realidade já está acontecendo. Eu vejo, nas ruas, nas cidades, nos transportes e em toda parte esses seres especiais, seres nobres, assim como outros profundamente atrasados, misturados às multidões. Eles se estão procurando, tentando identificar-se uns com os outros, para poder ajudar a Terra a se tornar um mundo de regeneração, porque, por enquanto, é um mundo de provas, de dores...

Quem não as têm? Quem, aqui entre nós, ainda não experimentou uma dor moral? Podemos ter uma economia fabulosa, uma saúde de ferro, no entanto, quantas ingratidões, quantas traições, quantos inimigos gratuitos que surgem repentinamente! Ou podem não ter sido vítimas de dores morais, no entanto, vivem assinalados por aflições de outra natureza, mas também profundamente perturbadoras.

Quando vejo a vida de Stephen Hawkings, esse extraordinário físico, que hoje quase supera Einstein, que se comunica com o mundo apenas com um dedo no computador e com as pálpebras transmite mensagens de bom humor, o homem que decifrou o universo e o colocou numa *casca de noz*, eu exclamo: "Deus meu! quanta beleza!". Ele sente alegria de viver, impossibilitado dos movimentos há mais de 20 anos, sofrendo uma doença degenerativa, sem, no entanto, perder o ânimo, a coragem. E muitos de nós, com saúde, reclamando da vida! Incontáveis de nós, com corpos maravilhosos, usando drogas para nos destruirmos. Outros tantos de nós, com uma saúde invejável, entregando-nos aos chamados vícios sociais, porque estão na moda esses vícios sociais que matam o sentimento e destroem a vida.

Ao concluirmos este singelo resumo sobre esses Espíritos em evolução que vêm de outro planeta para ajudar-nos na Terra, da mesma forma que inúmeros dentre nós iremos a planetas inferiores ajudar-lhes o progresso, desejo que desenvolvamos a capacidade de perceber aquelas crianças *índigo e cristal*, missionárias do bem, do amor, da verdade, e lhes facilitemos o caminho, amando-as. Estamos cansados de guerras. Estamos cansados de ódios. Mas, de amor estamos carentes. Meu guia espiritual [*Joanna de Ângelis*] me diz: "O amor é o único tesouro que, quanto mais se divide, mais se multiplica. Tudo que se divide, diminui. O amor não. Quanto mais amamos, mais nos amamos."

9

PERGUNTAS E RESPOSTAS

1. Divaldo, seguir o caminho de Deus é geralmente difícil. Como poderemos apreciar tanto as alegrias quanto as tristezas de nossas vidas?

O caminho do bem (de Deus) é sempre bom. Toda opção de nossa vida tem desafios. É natural que, vivendo numa cultura materialista, encontremos dificuldades para atingir metas superiores. As tristezas são *acidentes* de percurso que fazem parte da experiência evolutiva. As alegrias, porém, que advêm do reto dever cumprido, são tão grandes e compensadoras que vale a pena prosseguirmos, mesmo quando tudo conspire contra. Aquele que trilha pelo caminho da luz está sempre em paz. As perturbações de fora não o alcançam. Então, vale a pena continuar fruindo de tranquilidade.

Desde muito jovem que eu encontrei esse caminho. Como jovem, eu tive muitas dificuldades. Trabalhei 35 anos em uma instituição do governo, e era visto como uma pessoa especial, porque não me deixava arrebatar pelos vícios convencionais. Os meus colegas criticavam-me, o que não me afetava, porque, quando tinham um problema qualquer, vinham falar comigo, pediam-me ajuda. E sempre me consideravam como um padrão de felicidade. Eles envelheceram e eu também. Eles ficaram desgastados e eu permaneci um *big boy. [Risos]*

2. Sinto-me perdido (a) e não sei para onde ir. Por quê?

Por causa do tumulto externo que a todos aturde. Há muitos caminhos, e sentimos dificuldade na escolha. Quase todos fomos educados para o triunfo de fora – possuir, gozar – e, por consequência, temos tido dificuldade em descobrir quem somos. Eu digo-lhe: "Sente-se num lugar, comodamente, respire com suavidade, relaxe, sintonize com a Verdade e aguarde a resposta de Deus."

Houve uma época em que estive muito doente. Durante uma parada cardíaca, tive morte clínica. O meu médico deu-me dois meses de vida. Mas eu me neguei a morrer. "Não vou morrer agora! Ainda tenho muita coisa para fazer" – disse-me. Sobrevivi com meditação e através da energia adquirida pela técnica da visualização terapêutica[24] a que se referiu a Senhora Amy Biank. Já se passaram dezesseis anos, meu médico já morreu e eu estou aqui.

Então, eu lhe digo que fique defronte ao espelho e pergunte-se: "Qual é a minha função na vida?". Interrogue-se várias vezes e espere a resposta. Ela está dentro de você. Deite-se, respire suavemente, e também inquira: "O que é que Deus deseja de mim?". A resposta virá. Tenha um pouco de paciência e aguarde-a. Tenho certeza que no nosso próximo

---

24 – *As visualizações terapêuticas propostas por Joanna de Ângelis, via a mediunidade de Divaldo Franco, estão disponíveis através dos CDs* Saúde e Viagem Interior, *distribuídos pela LEAL Editora.*

encontro você irá me dizer: "Estou muito alegre porque eu descobri a finalidade da minha vida."

Allan Kardec, que codificou o Espiritismo, fez a seguinte pergunta aos Espíritos: *Qual o meio prático mais eficaz que tem o homem de se melhorar nesta vida e de resistir à atração do mal?* Os Espíritos responderam-lhe: *Um sábio da antiguidade vo-lo disse: "Conhece-te a ti mesmo."* [25]

Isso equivale a dizer que temos de viajar para dentro, para o íntimo, e descobrir os tesouros incalculáveis que ali dormem. As coisas de fora cansam, saturam, impulsionando-nos para atender a novas necessidades, enquanto as internas nos preenchem completamente.

Digo isso por experiência pessoal. Eu não tive filhos, não me casei. Mas também não senti falta, felizmente não me atormentando em relação à ausência de um coração amigo em parceira afetiva. Tornei-me pai, no entanto, de mais de 30.000 crianças que passaram pelas nossas escolas nos últimos 58 anos. Educamos 816 crianças órfãs, que recebemos quando contavam desde poucos dias de nascidos até aos cinco anos de idade. Preenchi, desse modo, a vida, porque um dia eu ouvi uma voz que me afirmou: "A tua missão na Terra é educar. E, para educar, tens necessidade de dar exemplos. Não se educa somente com palavras. O exemplo vale mais do que milhares de palavras." Então, optei por essa decisão e enriqueci a minha atual existência, dessa maneira, sentindo-me, desde há muito, imensamente feliz.

Quando eu tive a parada cardíaca, eu me senti fora do corpo. E o vi aparentemente adormecido. Eu tenho filhos

---

25 – *Questão 919 de* O Livro dos Espíritos, *por Allan Kardec, publicado pela Federação Espírita Brasileira.*

adotivos que são médicos. Um deles, em especial, começou a atender-me e exclamou: "Tio Divaldo está com lipotimia!", logo acrescentando que eu estava tendo uma morte clínica. Nada obstante, eu me sentia tão bem que pensei: "A morte é uma maravilha!"

Eu me encontrava lúcido, chamava pelos amigos, mas ninguém me respondia. Minha mãe, que já estava desencarnada, apareceu-me. Eu perguntei-lhe:

– "Mãe, eu já morri?"

E ela respondeu-me:

– "Ainda não."

Não gostei desse "ainda".

– "E o que eu estou fazendo aqui?" – perguntei.

Ela me obtemperou:

– "Os guias espirituais estão discutindo se você volta ou se fica."

Diante da resposta, eu pedi-lhe:

– "Mãe, vá ter com eles, por favor, e interceda para que eu volte."

Nesse ínterim, supliquei:

– "Meu Deus, se eu ficar, o Senhor prosseguirá conduzindo-me, pois que é o comandante. Se eu voltar, o Senhor continuará no mesmo comando. Portanto, para o Senhor não faz diferença nenhuma. Mas, para mim, faz uma grande diferença entre ficar e retornar. Desse modo, eu gostaria de voltar. Dê-me, pelo menos, dez anos."

Minha mãezinha retornou, naquele momento, e informou-me:

– "Ficou decidido que você voltará..."

Assim, despertei com *angina pectoris* e outras sensações muito desagradáveis.

Passaram-se os anos. Oito anos depois, mais ou menos, eu já estava bem, quando um Espírito que é meu amigo desde a minha juventude falou-me:

– "Divaldo, você não é inteligente, porque, se o fosse, não teria pedido a Deus somente dez anos. Observe que somente lhe faltam dois. A Deus sempre se pede muito, porque se Ele estiver de 'mau humor' e cortar a metade, o restante será expressivo."

Eu, porém, redargui:

– "Não é assim, você não entendeu bem a minha solicitação. Quando eu pedi dez anos, eu me referia ao ano 2010..."

Hoje reflexiono: como já me encontro no ano 2006, estou pensando o que irei solicitar-Lhe logo mais.

Em face da minha resposta, na ocasião, o Espírito, muito jovialmente, contou-me uma anedota, porque muitos Espíritos são alegres, considerando-se que são as almas das pessoas que viveram na Terra. Ele narrou-me que uma alma chegou a Deus e perguntou-Lhe:

– "Senhor, eu não entendo a eternidade. Para o Senhor, um bilhão de anos, que período é na eternidade?"

Deus então respondeu:

– "Um bilhão de anos corresponde a um segundo."

A alma, que era americana, [*risos*] voltou a interrogar:

– "Senhor, e um bilhão de dólares, quanto vale no Seu conceito?"

Deus esclareceu:

– "Um bilhão de dólares vale-me um centavo."

Deslumbrada, a alma concluiu, pedindo:

– "Oh! Senhor, dá-me um centavo."

E Deus, calmamente, prometeu:

– "Espera um segundo." [*Risos.*]

Equivale a dizer que deveremos confiar em Deus, não conforme nossos padrões, mas consoante os Seus. O Evangelho de Jesus afirma: *Confia no Senhor e entrega-Lhe a tua vida, pois que Ele tomará conta.* É verdade. Confiando, entreguei-lhe a minha vida. Não falo outros idiomas e, no entanto, já visitei 56 países, sem que me houvesse acontecido qualquer problema perturbador. Viajando há mais de 60 anos, nunca experimentei qualquer dificuldade, jamais cancelei uma conferência, nunca adoeci, nunca fiquei impossibilitado de atender a programação estabelecida. Eu faço seminários de oito horas durante o dia, e, logo depois, uma conferência, à noite. Nossos públicos interessados, no Brasil, são muito numerosos. No mês de abril, por exemplo, eu tive um público de 16.000 pessoas em um ginásio de esportes, na capital federal [*em Brasília*]. Falei durante várias horas, e, logo mais, à noite, proferi mais uma conferência com excelente disposição orgânica e psicológica. Isso porque a tarefa é do Senhor. Quando eu tenho qualquer problema, procuro fazer a minha parte e, tranquilo, despreocupo-me, porque sei que o restante é do Senhor, que nunca falha.

3. Se os jovens já experimentaram tudo, quando chegam à idade dos 18-20 anos, como resgatar ou reensinar a juventude perdida?

É muito fácil. Basta apresentar-lhes o outro lado da vida que eles (as) não experienciaram. Eu recebo muitas pessoas com problemas: atores, artistas, executivos, indivíduos comuns, que são dependentes de drogas, de sexo, que são abstêmios... Sempre lhes sugiro: "Você já conhece este lado. Quer começar a conhecer o outro? Toda moeda tem duas faces. Você somente examinou uma. A outra, que lhe posso apresentar, é mais fascinante. Deseja conhecê-la?". A pessoa fica interrogativa, curiosa. E afirmo: "Comece agora. Não espere um milagre, na expectativa de que amanhã a sua vida estará diferente. Não existem esses milagres. Mas, começando agora, logo mais observará resultados muito positivos. Se você usa droga, faça o tratamento médico para desencharcar o organismo. Se usa álcool, recorra à terapêutica médica e afirme: 'Hoje à noite, eu não irei consumir bebida alcoólica'. Amanhã, pela manhã, assevere: 'Hoje, até ao meio-dia, eu não a usarei'. À tarde, faça o mesmo propósito: 'Nesta tarde não a utilizarei'. Vá lentamente, até o seu inconsciente adaptar-se ao novo hábito... e você viverá uma vida nova."

Na vida de Jesus, temos exemplos fascinantes sobre aqueles que optaram por uma nova atitude perante a vida. Saulo de Tarso, por exemplo, que era um perseguidor, que mandou matar, quando encontrou Jesus, na estrada para Damasco, mudou completamente de atitude e se tornou o maior herói do Cristianismo. Nós somos cristãos, de alguma forma, por causa de Paulo, que expandiu a mensagem por grande parte do mundo conhecido na época. Aqueles que são budistas vivem felizes por causa da total entrega do príncipe Çâkia-Muni, ou Sidarta Gautama, que, após a viagem interior, iluminou-se, tornando-se Buda. Antes tivera uma vida normal, faustosa, que se converteu em tédio... Optou por meditar, e, após passar por um monastério onde não se encontrou com o Si profundo, ficou à sombra de uma figueira (árvore *bodya*) e se iluminou, passando a iluminar o mundo com a sua compaixão e sabedoria. Nós poderemos fazer como Sidarta Gautama.

Digamos ao jovem cansado: "Vamos meditar um pouco, começar outra experiência". Se ele se negar, não podemos fazer nada, porque não podemos resolver o problema de quem se recusa a fazê-lo. Então, amparemos o jovem, o adulto e o idoso, seja em que idade se encontrar aquele que nos busca, abordando com afeto a questão da vida espiritual, porque a Vida continua.

É comovente vermos alguém morrer, e logo depois recuperar a consciência além do corpo, continuando vivo. Essa é a maior alegria que podemos ter. A morte não interrompe a Vida, no entanto, cada um morre conforme viveu. Quem teve uma vida atribulada acorda em perturbação. Quem experienciou uma vida tranquila, desperta em paz. Todos esses, que acordam em paz, recebem a visita dos seus familiares, experimentando inefáveis alegrias. Quando eu estava desdobrado do corpo, minha mãe deu-me o conforto da sua presença. O outro lado da experiência humana deve ser apresentado a quem nos busca necessitado de ajuda.

4. Qual é a posição da psicoterapia no tratamento da criança índigo?

A posição da psicoterapia quanto à criança *índigo* é relevante. Além dela, os especialistas recomendam uma alimentação específica, que tenha menos drogas químicas, sendo particularmente vegetariana, orgânica, sem agrotóxicos, como também a alga amarelo-esverdeada e, sobretudo, manter conversações orientadoras e calmas, afetuosamente. No caso da alimentação, propor-se: "Vamos fazer o nosso cardápio de hoje?", facultando à criança participar conscientemente da sua própria nutrição.

Diante dessa abertura, ela elegerá aquela que é melhor para o seu organismo. Evitem-se carnes vermelhas, aquelas outras substâncias trabalhadas em laboratório e manti-das em conservas. Já existem, aqui nos Estados Unidos e no Canadá, várias indústrias alimentícias próprias para as crian-ças índigo e cristal.

Convém levarmos em consideração algumas das pro-postas alimentícias apresentadas por Doreen Virtue.[26] Ela é extraordinária. Penso tratar-se de uma mulher cristal, por-que está orientando milhões de vidas.

Também deveremos cuidar dos nossos filhos doentes, utilizando-nos da terapêutica acadêmica, sem olvido dos re-cursos inestimáveis da homeopatia,[27] dos florais de Bach e de outras terapias alternativas... porque nossos organismos assimilam melhor os medicamentos trabalhados com pro-cessos de harmonia vibratória. Como a homeopatia traba-lha a substância *mater* em muitas dinamizações, o perispírito, ou corpo astral do ser humano, melhor absorve essas ener-gias, mais facilmente restabelecendo o equilíbrio das células.

5. Existe alguma diretriz universal para que se possa au-mentar a intuição?

O Guia do Universo é Deus, que é *a inteligência su-prema do universo e a causa primeira de todas as coisas.* Na definição de João Evangelista, no seu evangelho *Deus é amor,*

---

26 – **Doreen Virtue** *é psicóloga e autora de mais de 20 livros, entre os quais* The Care and Feeding of Indigo Children *and* The Crystal Children.

27 – *Existe grande correlação entre a proposta da homeopatia e os princípios do Espiritismo. Christian Friedrich Samuel Hahnemann (1755-1843) foi o médico alemão que fundou a medicina homeopática. Mais tarde, ele também fora um dos espíritos iluminados que participou da Codificação Espírita. O capítulo 9, item 10 de* O Evangelho segundo o Espiritismo *por Allan Kardec contém uma mensagem que ele escrevera dizendo que "todas as virtudes e os vícios são inerentes ao Espírito" e não ao corpo.*

e esse amor de Deus está presente em todos nós, em especial nos grandes missionários que vieram ao mundo: Jesus, Krishna, Buda, Moisés, Baha'u'lah, Elena Petrovna Blavatsky, Rudolf Steiner, Allan Kardec... Esses e muitos outros missionários trouxeram-nos as diretrizes seguras para que pudéssemos alcançar o Reino dos Céus.

Se a pessoa deseja aprimorar a intuição, a melhor técnica é aprender a fazer silêncio interior, asserenando a mente, a fim de poder *ouvir as estrelas*, captando-lhes *o som inarticulado*. Nossas existências são muito tumultuadas, o que dificulta este mister. No entanto, quando conseguimos *parar a mente*, sintonizamos com o Pensamento Divino.

Mantenhamos uma boa técnica de respiração: inspirando com a boca fechada, bastante e devagar, retendo o oxigênio e expirando com a boca semiaberta, até eliminar o gás carbônico dos pulmões. Bem suavemente, iremos nos renovando, e, ao nos renovarmos, as toxinas são eliminadas do cérebro, facultando-nos harmonia interior.

Muitas pessoas asseveram que lhes é difícil corrigir o hábito respiratório. Recordo-me do que dizia Buda a respeito da meditação: *Tente-a por sete dias, se não conseguir, faça-o por sete anos, ou, por fim, por sete reencarnações e você aprenderá...* É indispensável, portanto, iniciar.

A outra técnica é proposta pelo Dr. Stanislav Grof, um dos pais da moderna Psicologia Transpessoal, que a aplicou em alguns pacientes esquizofrênicos, a fim de levá-los ao êxtase. É a chamada respiração holotrópica. A pessoa, quando está muito inquieta, senta-se e vai respirando lentamente. Logo após, vai acelerando até eliminar o oxigênio do cérebro, o que bloqueia os pensamentos viciosos, habituais. Alcança-se, então, o momento em que o cérebro fica sem oxigenação por alguns segundos, facultando harmonia total. Essa pode ser uma técnica para a criança índigo, a fim de ajudá-la a aquietar-se, a aprender meditação. E como a criança é inquieta, sugerindo-lhe: "Vamos respirar rápido, mais rápido, mais rápido", lograremos êxito. São técnicas que asserenam o psiquismo, favorecendo a harmonia que ajuda a sintonia com o Mundo espiritual.

6. Como saber se meu filho de 8 anos é índigo?

Se ele apresenta os seguintes caracteres:
· É inquieto, desafiador.
· Não aceita ordens.
· Não fica por algum tempo em filas.
· Responde, olha com uma expressão direta.

Todos esses fatores indicam que sim. O mais será resultado da observação, das conversações mantidas, porque todo índigo, no inconsciente, sabe que o é. São dez características que definem uma criança índigo. Eu sugeriria a leitura do livro dos dois psicólogos Lee Carroll e Jan Tober: *Crianças Índigo*. Vale a pena!

Divaldo Franco concluiu esse maravilhoso seminário expressando sua gratidão pela organização do evento e a atenção da audiência.

DIVALDO FRANCO
VANESSA ANSELONI

THE NEW

GENERATION:

THE SPIRITIST VIEW ON INDIGO AND CRYSTAL CHILDREN

Salvador
7th. ed. - 2016

Summary

SPECIAL ACKNOWLEDGMENTS

To Andrew Newberg, MD, professor and neurologist at Penn State University and Director of the Center of Spirituality and Mind, for granting us the permission and rights to reproduce the SPECT images as well as their explanations on his scientific study on the neurophysiological correlates of meditation.

❀

To Art Akiane, LLC and Forelli Kramarik for kindly granting us the rights to reproduce the picture of Akiane Kramarik's painting "Prince of Peace".

❀

To Mrs. Amy Biank and her team for the organization of the event with Divaldo Franco.

PREFACE

We are undoubtedly immersed in a world of transformations at individual and social levels. This book comes to bring us new teachings and provide us with a new perspective that may fill us with new hope.

Divaldo P. Franco once again treats us with profound teachings this time on a new generation of reincarnating souls: the *indigo* and *crystal* children. Vanessa Anseloni, PhD, added information (to be found in italic), making this book come to us with interesting insights on how to understand and educate these individuals that will be responsible for the great transition from a world of wars and suffering into a more fraternal and peaceful world.

A part of the contents of the book is based on the splendid conference given by Divaldo P. Franco on February 18, 2006 in Oswego, IL – USA. The event was organized by our American friend Amy Biank in collaboration with the *Angel Center* and *Intuition Unlimited*.

In this masterpiece, we observe that the new generation is so peculiar that we need to travel in time and space, using the knowledge of both material and spiritual sciences in order to understand it. Divaldo P. Franco, in his profound wisdom, conducts us into this journey through our past. He mentions the first moments of humankind's evolution which occurred through an indispensable interplanetary cooperation thanks to the transmigration of spirits who came to Earth. Coherent explanations are given on the definition of indigo and crystal children, their differences, types and behaviors, intercalated with true accounts lived by Mr. Franco. The closing of the book is a loving invitation to welcoming this new generation that has become a part of our humanity on Earth.

In great synchronicity with Divaldo Franco's ideas, Vanessa Anseloni brings relevant and complementary information in the areas of Neurosciences, Psychology and Spiritism.

I strongly believe that the reader, mostly parents and educators, will perceive this work to be of great relevance. In it, there is continuity to the works of the master Allan Kardec, who centered education – based on the acquiring of new habits – as the only form of individual and social change.

Let us welcome with all of our efforts this new generation of human beings who are key in the changing of the familial, social paradigm that we all need.

Enjoy it!

Baltimore, MD (USA), November 7, 2006.

M. Daniel Santos, PhD
Director of Communications
Spiritist Society of Baltimore, Inc.

1

THE DECADE OF THE BRAIN AND THE "POINT OF GOD"

In the 1990s, the U.S. neuroscientists requested that the American Congress consider that decade to be the Decade of the Brain. The American Congress examined the neuroscientists' proposal and accepted the request. Until then, the Neurosciences had investigated and uncovered many details about the brain never before seen in our 6,600 years of sciences, culture, ethics and civilization.

Once the Decade of the Brain was approved by the American Congress, President George W. Bush homologated the request, and that became the greatest moment in the evolution of the so-called Neurosciences.

The Proclamation of the Decade of the Brain promoted public awareness regarding the relevance of the studies on the brain, as well as the need to invest on such studies. The measure had such an impact on the worldwide neuroscience community that other countries also decided to adopt the 90's as their glorious decade of the brain. Among the revolutionary advances, some of the most important ones are the following:

(1) over half of the human genome is composed of brain-related cells, and those genes can influence a range of behaviors;
(2) the revolutionary techniques of brain imaging, especially of functional brain imaging;
(3) the human brain can create new brain cells well into life.

As a consequence, humanity understands more about their own history. Even more fascinating is that very recently some of those noble investigators stated that our brain has written in itself the presence of God.

Using high technological techniques, Andrew Newberg, MD, professor and neurologist at Penn State University and Director of the Center of Spirituality and Mind, found out that when we pray or meditate, we activate specific areas of the brain. He conducted a series of studies using functional imaging of the brain of Franciscan nuns, Buddhist monks and Pentecostals who speak in tongues.

Next, we can observe the figures obtained during an ongoing study conducted by Dr. Newberg on the neurophysiological correlates of meditation. (These figures and their description were kindly provided and granted by Dr. Andrew Newberg to be reproduced in this book.)

"Briefly, we have been studying highly experienced Tibetan Buddhist meditators using a brain imaging technology called single photon emission computed tomography (SPECT). SPECT imaging allows us to image the brain and determine which areas are active by measuring blood flow. The more blood flow an area has, the more active it is. The images show the results from a baseline scan on the left (i.e. at rest) and during

a "peak" of meditation shown on the right. Two sets of images were taken, showing slightly different parts of the brain, as can be seen below."

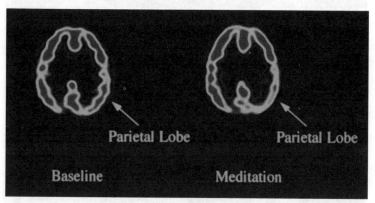

"The above image shows that there is decreased activity in the parietal lobe (lower right shows up as yellow rather than the red on the left image) during meditation. This area of the brain is responsible for giving us a sense of our orientation in space and time. We hypothesized that blocking all sensory and cognitive input into this area during meditation is associated with the sense of no space and no time which is so often described in meditation."

In 1992, the neuropsychiatrist Michael Persinger, MD, from the University of California, Los Angeles, analyzed human brains through positron emission tomography (PET). He verified that a certain site lit up in the brain. He observed that the brain emitted a specific luminosity. In collaboration with Vilayanur Ramachandran, he who also examined that cerebral light and reported the following curious finding: every time that the investigator said the name of God, that luminosity increased. They then decided to name that area between the temporal lobes "point of God."

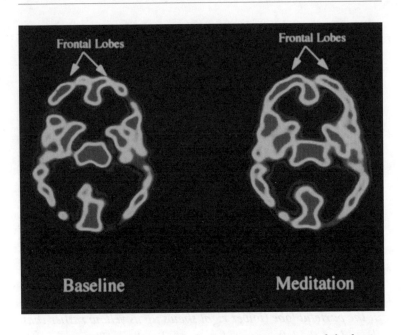

"*The second image shows that the front part of the brain, which is usually involved in focusing attention and concentration, is more active during meditation (increased red activity). This makes sense since meditation requires a high degree of concentration. We also found that the more activity increased in the frontal lobe, the more activity decreased in the parietal lobe[1].*" – concluded Dr. Newberg.

The studies by Persinger and Ramachandran began in epileptic patients who usually have profound spiritual experiences. In comparison between epileptics and healthy and religious subjects, the outcome was the same after evoking words of their spiritual belief.

---

1 – *A more complex version of the model from which the hypothesis is based can be found in the book by Drs. Newberg and d'Aquili entitled, "Why God Won't Go Away: Brain Science and the Biology of Belief (Ballantine, 2001).*

Later on, the great North American physicist Danah Zohar, currently professor at Oxford University in the United Kingdom, came to examine the issue. After some studies, she concluded that in that particular brain area resides a biological correlate to human being's spiritual intelligence. **That means that the soul is not a product of the brain, instead it decodes the profound contents through its neurons.**

That wonderful discovery made some neuroscientists conclude that human beings are not only constituted of cells, but also of a transpersonal nature. *Although the neurosciences officially have not proven that the mind is extra-sensorial, the above mentioned studies open new questions into the understanding of the basis of the human mind.*

This introduction is to help us understand the modern view of some scientists in regard to the immortal beings that we all are.

2

INTERPLANETARY COOPERATION AND HUMAN EVOLUTION

In parallel to that, a great number of renowned astronomers such as Edmund Halley, Paul Otto Hesse and F. Wilhelm Bessel among others, after many complex calculations, observed that our solar system is a 'slave' of Alcyon's gravitational attraction. *Alcyon is a third order star that is 440 light years from Earth.*

Alcyon is a star that belongs to the constellation of the Pleiades, known since remote times. The solar system has rotated around Alcyon for approximately 26,000 years. Every 12,000 years, the solar system gets closer to Alcyon, which is enveloped by a large layer of photons. That layer penetrates it and stays there for 2,000 years. Those photons are a result of the decomposition of the electron, which are considered very small particles of the electromagnetic energy. When the solar system intersects with that belt of photons that envelops Alcyon, those particles produce alterations in the structure of the solar system.

Curiously, 12,000 years ago, the solar system got closer and was penetrated by Alcyon's energetic field. Then, our planet became inhabited by intelligent beings…

The scientists mentioned above said that since 1972, the solar system has been entering that belt of photons. Since 1987, Earth penetrated that layer of energy that produces some luminosity, which is a result of molecular excitation that does not produce heat, or shadow or darkness.

Let's go a little back in time. From the anthropological point of view, there were beings which changed over millions of years and reached the evolutionary stage of anthropoids. Those anthropoids were constituted by a very primitive psyche, and progressed in a rough physical body.

According to evolutionism, the anthropoids evolved in two different branches: one that remained the same and another one that would provide the means to the appearance of human beings. The extraordinary scientist Charles Darwin was not able to explain with certainty how that process of evolution happened, mostly because at that time it was harder to find paleontological elements (fossils) that would provide the study of the natural process of evolution. As a consequence, lack of documentation made scholars define the "missing link", which is in fact what would help us understand the change from one expression of biological organization to the next.

The Spiritist view of creation and evolution of the beings accommodates features of Darwin's theory and the Creationist theory. In regard to Creationism, Spiritism conceives that **God is undoubtedly the creator of the universe. God is the first cause of all things, the supreme intelligence of the universe** *(see first question and answer of The Spirits' Book by Allan Kardec[2]).*

However, it is not logical to believe that all beings were born at very complex levels as the ones we see in the current species. That is when some features of the Evolutionist theory come into play. After the creation of the intelligent principle (or spiritual principle) and of the material principle, the universal law of progress allowed the celestial monad to leave its primitive state of simplicity and ignorance in order to acquire experience and knowledge. In several phases of evolution, the intelligent principle went through "internships" in each kingdom of nature (mineral, vegetable, animal) until it reached the human kingdom. The evolution of the intelligent or spiritual principle may occur in similar ways in other worlds, too.

In the "missing link" period on Earth, spiritualists who received revelation from the spiritual realm, believe that in a nearby system to Earth, in the constellation of Auriga *(the Charioteer)*, there was a planet from Capella *(Alpha Aurigae)* that was evolving moral and intellectually in the direction of the Kingdom of God. However, despite its progress, there existed rebellious spirits who denied the practice of love, which constituted a serious problem in the freeing process of evolution of that planet.

In the Bible, there is an excerpt that informs us that in Heaven there was an angel named Lucifer who rebelled against God and was expelled from Paradise being sent away

---

2 – **Allan Kardec** *(1804-1869) – Pseudonym of the professor and educator Hippolyte Léon Denizard Rivail. He was the codifier of Spiritism in the XIX, in Paris, France. The Spiritist basic literature compiled by Allan Kardec corresponds to the following books:* **The Spirits' Book** *(1857);* **The Mediums' Book** *(1861);* **The Gospel Explained by Spiritism** *(1864);* **Heaven and Hell** *(1865);***Genesis** *(1868) and the first 12 volumes of the* **Spiritist Review** *(1858-1869). To get to know more about Allan Kardec and the History of Spiritism, please read the book,* **Understanding Spiritual and Mental Health** *by Divaldo P. Franco.*

to an infernal area where there were great sufferings. This strong image expresses what we would like to elucidate.

That planet of the constellation of Auriga (the Charioteer) achieved great intellect-moral progress. However, there were very combative, perverse spirits who refused obedience and love, and delighted in wrong-doing.

In order to refrain them from disturbing the evolution of that planet, those spirits were transferred to another world where they would be able to apply their knowledge and learn how to take control over their rebelliousness through suffering. They reincarnated on Earth during caveman times.

It is interesting to note that the descendants of the anthropoids were animated by intellectualized spirits who, for that reason, developed their bodies and were also able to express themselves as well as the knowledge that they bore.

Therefore, primate descendants appear. Anthropoids continued to exist and were the means through which those spirits would reincarnate. In that developing organization, those Spirits were still primitive due to Earth's evolutive process.

At each reincarnation, the spiritual being, connected to its spiritual body (perispirit), links itself molecule by molecule to the new physical body since the first cell, the egg, zygote, at conception time. In that way, the mind of the Spirit commands the formation of the new body through its integral body (perispirit).

The goal of reincarnation is to **progressively improve humankind**[3]. *The spiritual being will progress at each reincarnation. It never regresses. As a consequence, the concept of metempsychosis (reincarnation in animal body) is illogical once the*

---

3 – *Question 167 of* The Spirits' Book *by Allan Kardec.*

spiritual body at human level cannot retrograde in an incompatible structure to the matured spiritual-perispiritual complex.

Due to the transmigration of those souls – which first happened in the spiritual realm – Egyptians built a monumental culture. In the temples, the Pharaohs brought to humanity a knowledge that was superior to its time. Engineering achieved high levels of advancement and provided the construction of the pyramids, the Sphinx of Giza, which led the way for other great civilizations.

In India, the divine revelation appeared through Krishna who brought in the idea of the immortality of the soul, God, reincarnation, divine justice and love. In China, Lao-Tse, Fo-Hi and Confucius elaborated the great codes of human integrity, society and citizenship. In Persia, a great culture appeared based on the concepts of God's greatness, immortality of the soul and continuity of life… Assyria and Babylon, both fascinating civilizations, left a legacy of beauty and wisdom to the future of humanity.

However, we need to say that those noble spirits, although bearing uncommon intelligence, were combative in nature and sustained their power through hateful and continuous wars.

In the West, 500 years before Jesus, in the age of Pericles and Greek tragedy, an empirical philosophy appeared as well as uncommon intelligences such as Socrates, Plato and Aristotle, who brought to humanity ethics, knowledge, law of order and duty.

In the meantime, Moses freed the Hebrews from slavery in Egypt and received the Decalogue through divine inspiration. The Mosaic Law would offer an elevated view in respect to the individual, society and God.

Then, Jesus arrived on Earth and revolutionized humanity's history through the law of love. According to John 14:1-2, Jesus said, "Let not your heart be troubled: believe in God, believe also in me. In my Father's house are many mansions," demonstrating that the stars that shine, the planets that reflect their light, are true spiritual homes, worlds, divine residences.

We intend to say that those noble Spirits that brought us knowledge, wisdom, came from a more evolved planet than Earth, except Jesus, who is the Governor of Earth, therefore, the most elevated spirit that God has allowed to come to Earth in order to serve as model and guide to Humankind.

The Spiritist view on Jesus Christ is metaphysical, because he is a child of God as much as any one of us. He is our older bother who achieved fullness and came to bring it to us, to show us how to be human beings. The description of this ideal humankind is described in chapter XVII of The Gospel Explained by Spiritism, *when it reveals that the "good person is the one who fulfilled the law of justice, love and charity in its greatest purity."*

*Joanna de Ângelis[4] describes Jesus in the view of the Spiritist Psychology as the Fulfilled Being in whom the **Anima** and **Animus** are in perfect harmony. Jesus' anima is the feminine fulfilled personality. It is intuitive, sweet, soft, spiritually wise*

---

4 – **Joanna de Ângelis** *is Divaldo Franco's spirit mentor/guide. She is one of the refined Spirits that guide Humankind on Earth. Joanna also participated in the team efforts of the Spirit of Truth which coordinated the implantation of Spiritism. In the book* The Gospel Explained by Spiritism, *she was the author of messages "Patience" (Chapter 9, item 7) and "To those who have will be given more" (chapter 18, items 13-15). In Christ's time, she was Joan of Cusa. Later, she lived in Italy at Saint Francis' time. She reincarnated as Sóror Juana Inés de La Cruz in Mexico in XVII; and Joana Angélica de Jesus in Brazil, in XIX.*

and loving, maternal to the point of self-sacrifice for Humanity's own good. Christ's animus was in his initiative, courage, objectivity, determination. Luke 18:15-17 "Let the little children come to me..." expresses clearly the anima of Jesus. The animus can be seen in John 2:13-25 through his masculine firmness, putting order in the temple as he expelled the merchants. Jesus Christ before incarnating on Earth went through several progressive steps achieving perfection, which we will all do one day. To reach this level, each one of us needs new learning opportunities, sometimes in one world, sometimes in another. It is important to note the importance of the freeing notion that all spirits were created in Nature to be destined to progress and achieve happiness. The universe with its millions of galaxies has schools and homes, opportunities for all levels of spiritual progress. When Jesus said in John 14:1-2 "In my Father's house are many mansions", he referred to the house as the universe and its homes, the worlds of the universe[5].

It was in one of those interplanetary or better, intergalactic cooperations that Capella's spirits were brought to Earth. Those spirits, although intellectually evolved, came to Earth because they were rebellious. They suffered a great deal by being brought to a less evolved planet. Later, after having fulfilled their tasks, they were allowed to return to their original world. This extraordinary revolution happened approximately thousands of years ago.

Around 1972, and then in 1987, the solar system penetrated Alcyon's photon belt. Since then, a new revolution has been unfolding in the spiritual structure of Earth, when

---

5 – *Detailed information on the topic can be found in chapter 3 of the book* The Gospel Explained by Spiritism *by Allan Kardec.*

a wave of Spirits of that dimension came to promote subtle changes in the physical form in order to facilitate the intellectual-moral progress so we can achieve more evolved levels.

When the exiled of Capella came to Earth, they provided us with new features to our body, facilitating the manifestation of intelligence, reasoning, conscience, although our ancestral instincts were still kept. Nowadays, we are still instinctive, having sensations and emotions in need of developing higher levels of reasoning. The spiritual visitors are temporarily among us also to evolve and to create a new society. The new society shall be marked by conquests of intuition, paranormal perception, and elevated feelings. They have come to change the structure of our physical body, providing us with instruments that can makes us more perfect, wiser, less warlike, less perverse...

These and other spirits have always visited us every now and then. If we reflect on the Gospel of Jesus, we will see that John, the evangelist, became fascinated by the Master Jesus when he was only 16. He learned the profound lesson of His love and absorbed it entirely in such a way that Jesus said he is the only one who would not go through a tragic death. In fact, he was the only disciple who lived long, and died of natural causes at an old age.

If we equally examine the History of France, the girl Joan of Arc was only 14 when she defended her country, supported by her visions of Saint Margaret, Saint Catherine and Saint Michael, the Archangel, who helped her in all battles. Joan of Arc was not a common person. She lived in a small village, shepherding goats and sheep. Later she had a vision of Superior Spirits and became the commander-in-chief of the troops of France which were almost destroyed by the English armies. She won the battles and helped crown the fragile King Charles VII in the Cathedral of Reims.

If we proceed a little more in our review of history, we will be enchanted by Beethoven, the genius of music. He was of a rebellious temperament, almost ostensible, and was, in fact, an introvert. However, he revealed himself as a phenomenon in his musical compositions, especially the symphonies. He lost his hearing at 27, and his music became even more beautiful.

When he composed the Ninth Symphony, he could not hear the church's bell. Despite any difficulty, he would compose from his inner world, the music from other spheres… Thanks to his sublime and transcendental music, he introduced to humanity the referred Ninth Symphony, the Ode to Joy, as an eloquent lesson of life and joy.

3

INDIGO CHILDREN

When mediumship rose in the 19th century in the United States, it had a great impact. The occurrence was marked when two girls, the Fox Sisters experienced spirit communications. They had very troubled lives, due to the religious intolerance of the time.

The two sisters, Margaret and Kate Fox, lived in the small village of Hydesville, NY. They listened to the raps through which the spirit of Charles Rosma communicated. Rosma, a peddler by trade, had been murdered by the previous owners of the house and buried in it. The phenomenon of spirit communications happened on the evening of March 31, 1848 and became the historical mark of Modern Spiritualism. Currently, the city of Lily Dale, NY, holds the last of the Fox sisters' belongings, as well as the trunk that holds Charles Rosma's bones. The famous book, History of Spiritualism, by Arthur Conan Doyle relates the details of the hardship experienced by the Fox Sisters.

In France, other girls who bear incomparable mediumistic faculty appeared in France. They were the sisters Caroline and Julie Baudin, 12 and 14, Ermance Dufaux, 15, and

Ruth Japhet, 15. Thanks to those teenagers, who became instruments of the inexhaustible source of truth by serving as mediums for the Superior Spirits to relay their teachings, Allan Kardec codified Spiritism. In it, he presented a set of principles that encompasses Science, Philosophy and Religion. The Spiritist Thought has been standing strong despite all aggressions of materialist thought. Its postulates are supported by the indisputable facts and have been confirmed by the most contemporary science.

Several scientific findings were brought in by the Superior Spirits through the Spiritist mediumship. Many of them were later proved by Science. For example, in 1958, the spirit doctor Andre Luiz[6] wrote through the automatic writing ability of Francisco Xavier[7], the book "Evolution in Two Worlds". He affirmed that "neurons are born and reborn millions of times in the physical and extraphysical planes." At that time, Neurosciences stated that neurons could not renovate themselves, being considered permanent cells of the nervous system. Only in the year 2002, neurosciences, through the research lead by the renowned scien-

---

6 – **André Luiz** – *Fictitious name of the Spirit who wrote through Francisco Cândido Xavier's automatic writing mediumship. Among others, André Luiz wrote a series of 16 books about the spiritual life and its interaction with the physical world. The first masterpiece of the collection is* Nosso Lar *and the last one* And Life Goes On. *In his last reincarnation, André was a Brazilian doctor in Rio de Janeiro.*

7 – **Francisco Cândido Xavier** *(1910-2002) - Considered the most complete and prolific medium of the XX century. Born in Pedro Leopoldo, Minas Gerais, Brazil, Chico Xavier, as he was called, published more than 400 books in a diversity of literary styles. He was nominated for the Nobel Peace Price for his great peaceful and charitable efforts. As a good Spiritist medium, he never received any compensation for the books he published through his extraordinary mediumship.*

tist Fred Gage, at Salk Institute for Biological Sciences, in La Jolla, California, brought to light evidence that neurons are born and reborn in adults and aging beings.

In 2007, Spiritism celebrates its 150th anniversary. Allan Kardec, the eminent codifier, was truly an editor-in-chief and investigator of the mediumistic phenomena. He was not an ostensible medium, but the one who wisely compiled the diversified information that was received by the medium-girls of his time.

Allan Kardec did not report the names of the mediums in the Spiritist Codification in order to protect the mediums from public scrutiny. We shall not forget that at that time, 19th century, women's rights and their emancipation had not happened yet. Forty one days before the launching of The Spirits' Book, in Paris, France, 129 women were burned in an industry in NY, USA, because they requested less hours of work.

The Spirit Guides affirm that the noble spirits of the new generation will develop the right side of our brains which encompass the intuitive, mediumistic, and psychic abilities. This generation has been named the generation of indigo children, due to the fact that they are special and emit, in their auras, a blue-violet irradiation similar to the indigo, which is found in a plant[8] in India.

The aura of indigo children projects a blue-violet tone which denotes their level of evolution. The more a spirit is evolved, the more its spiritual body (perispirit) is evolved as well. Thus, the vibrations of the quintessenced molecules

---

8 – *Indigofera tinctoria* is the scientific name of the indigo plant. Plantations of indigo had their fundamental role in the movement of independence in the British India. Gandhi led the movement of rights, being supported by the poor people of the little villages who mostly worked in the industries of indigo.

Indigofera tinctoria

which compose the perispirit[9] vibrate in higher frequency, producing the color indigo.

These children have become a great challenge to education, psychology, and interpersonal relationship, because some of them rebel at a very young age (2 years old, e.g.) against formalism, and everything that exists, causing a great difficulty for adults at school, home, and leisure time... The Indigo children have become a great challenge for psychologists, psychiatrists, and neuroscientists who examine them and immediately observe their hyperactivity and insatisfaction. They do not accept imposed orders, and have great capacity to confront adults as if they were adults too.

That behavior has led to serious psychological reactions in parents and educators who feel the need to create new pedagogical methods and new therapies that are very different from the conventional ones that have been accepted so far.

Indigo children do not submit themselves to orders. They do not obey lines and do not stay quiet. They seem to know more than adults, which normally stuns their parents and educators, although sometimes they cannot express themselves correctly.

---

9 – To read more in-depth information on the perispirit, please read chapter XIV of the Genesis by Allan Kardec.

4

A CASE ON INDIGO CHILDREN

To illustrate our topic, let me tell you a personal experience. In the Mansion of the Way, our foundation for children and youth, there was a five-year old boy that was so terrible that I named him Julio, 'the terrible'. At the time, there was no terrorism, but my child was a 'terrorist'. He knew everything. Julio was always at the wrong place at the wrong time. He would say what was not to be said and would not stay still. We did not know how to educate him. I had used all possible methods. If I gave him love, he would be aggressive; if I were firmer, he would not obey me. Then, I left him alone and he would be upset with it.

One day, I was working in my office when the intercom rang and the gatekeeper of our Foundation informed me, "Mr. Franco, there is a woman here who wants to talk to you."

I replied, "Please, you know that I cannot see people at this time. I am very busy and have unstoppable duties. Please, tell her to come back in the evening."

The gatekeeper replied to me, "But she is very insistent."

I did not like his answer and said, "Please, inform her that I will only see her in the evening because I am not in the foundation now."

I hung up the phone, when Julio, 'the Terrible', came out from underneath my desk. (On a previous Sunday, I had taught children about lying. The day the lady had requested a meeting with me was the Tuesday after that Sunday.)

When Julio stood up, he looked at me and naughtily smiled, censuring me, "Lying, ha?!"

I looked at him with authority and inquired, "Who is lying here?"

"You are!" – replied the fearless boy.

I stared at him very seriously and tried to explain, "Julio, I am not lying. I am saying that I am not there at the entrance."

He smiled and said, "Another lie, because you are saying that you are not in the Mansion of the Way. And you are…"

I picked up the phone and called the gatekeeper, "Please, tell our sister that I have just arrived."

It was not enough to convince the boy, because he again said, "Another lie! You are saying that you left. But how did you arrive?"

He is an indigo boy. I then concluded by explaining to him, "Little Julio, sometimes, I also lie."

And he replied, "But you shouldn't."

I justified myself by saying, "There are two types of lie: a white lie, which is an excuse; and a heavy lie, which is a black lie."

He was surprised by what I said and argued, "That is prejudice!"

I finished our conversation with love and care, proposing to him the following, "Little Julio, please go away, for the love of God. We will talk later."

Julio, 'the Terrible', was indigo. Everything that we said, he would ask "Why?" We would say, "My son, do not sit there." He would reply, "Why?" "Because you will hurt yourself." "How do you know?" One day, he was climbing a wall, when I requested that he get down.

"Why?" he inquired.

"Because you will fall," I answered.

"How do you know it?"

"Because everyone does."

"But I am not going to fall."

Actually, he did not fall from it.

5

INDIGO CHILDREN AND HYPERACTIVITY

Indigo is the rebellious child who sometimes is confused with the simply hyperactive child. The indigo is challenging to education because they do not stay quiet during classes, have a hard time focusing attention and always have a new answer, sometimes an insolent one for everything. We, adults, are used to imposing ourselves and often get stunned by the Indigo child's bold tendencies.

It is very important to observe the difference between indigo and hyperactive children. What is a hyperactive child? According to the scientific findings from the National Institute for Drug Abuse (NIDA), the attention and hyperactivity deficit disorder consists of a persistent pattern of abnormal activity, impulsivity and lack of attention that appear with more frequency and more severity than is typically observed in individuals with comparable levels of development.

Hyperactivity is a sign that something is not right. Hyperactivity in itself does not define the indigo child. Instead, it can be one of the behavioral signs of the indigo child. Spiritually speaking, past lives tendencies, mediumship, spiritual obsessions can induce hyperactivity. Dr. Ian Stevenson in his memorable book, Children Who Remember Previous Lives, and Saint Augustine in The Gospel Explained by Spiritism (chapter 14), observe that there is a range of child behaviors that are correlated to past lives experiences. Particularly, unexplainable emotions towards family, for example, fear, interests, preferences and abilities presented spontaneously by the child. For that reason, it is very important that parents and educators pay attention to their children's behaviors in order to effectively educate them.

Dr. Nancy Ann Tappe[10], one of the U.S. pioneers[11] in the study of indigo children, established that indigo children are special beings, because they are old souls who when reincarnating in a limited body, have great difficulties in living healthily. They are very intelligent and come from a spiritual region that is more evolved. Usually, they do not find the proper resources to develop their aptitudes. Let us say that these spirits are working their right cerebral hemisphere. Western society has spent millennia working mostly their left brain – logics, mathematics, and reasoning. Indigo children come to develop arts, beauty, harmony, sixth sense, a special view. They are considered "different children", because they are really different.

Statistics show that those children began arriving in the last century, around 1970. In the 90's, their number increased. That fact brought in a challenge to neurology and psychiatry; because in their classification for diseases, they have established that children who cannot focus or stay quiet bear some pathology as either being autistic or hyperactive.

10 – *Nancy Ann Tape* *was the pioneer in the study of indigo children in the U.S. publishing the book* Understanding Your Life Through Color *in 1982.*
11 – *Peggy Day and Susan Gale* *stated in the book* *According to Edgar Cayce on the Indigo Children* *that the medium Edgar Cayce brought in revelations on indigo children and the color of their aura long before Ann Tape's studies.*

Pharmaceutical evolution put together a chemical compound named Ritalin that has had excellent effects on the balance of hyperactive children. Since its discovery, it has been prescribed excessively. Statistics show that Ritalin has been prescribed 600% more times since the year 2000 than when it was first discovered. Ritalin is a drug that relaxes but does not provide behavioral change to the child. It calms the child down, because its substances are absorbed by the neurons producing certain quietness.

Modern specialists say that indigo children who are treated with Ritalin may become more susceptible – when they need to stop using it – to other drugs that cause dependence.

If we examine the percentage of drug addiction among youth in our countries, we find that it is alarming. Drug experimentation results from a need that young people have of escaping reality and is often spurned on by difficulties they face in relation to their inner realization. Modern youth appears frustrated, without an ideal, living an empty existence…

In the United States, the theologian and psychologist Rollo May[12] established that our noble social values have disappeared and have given place to emptiness. Our youth has lost the psychological meaning of life. As a consequence, young people appear to be indifferent and lazy, with exceptions, of course. They begin engaging in sexual activity at a very early age, sometimes at 12 or 14, impelled by the maturation of their sexual glands. Some may get bored by the use of sex at 16 or 18, and start using psychotropic drugs which may induce altered states of consciousness, becoming pathological.

---

12 – **Rollo May** *(1909-1994) was one of the most renowned existentialist psychologists. He wrote the book* Love and Will *in 1969.*

6

TYPES OF INDIGO CHILDREN

Some scholars have divided the indigo children into 4 different types:

· the humanists,
· the artists,
· the conceptual ones, and
· the interdimensional or transdimensional ones.

The **humanist** children are those that have a natural inclination to help. Even considering their particular uneasiness, they are generous, gentle, though they cannot stay quiet or be obedient. It is necessary to know how to deal with their characteristics by talking to them, giving them psychological support, and by always trying to avoid saying that they are special. It is never advisable to label a child, no matter what the designation is. It is only a child and it must be seen as one, being guided and loved.

Once, when the Dalai Lama was giving a talk, he saw in the audience a child. He asked the child to come up to the stage. The child, who seemed indigo, came closer to him.

The Dalai Lama was very touched by the child's gesture and told her, "You can say whatever you want."

The child held the microphone and announced, "I have cancer, but I am a child. I want to play. Everyone tells me what is better for me to do, but I only want to play. They can look after my body later. But see, I am a child…"

The Dalai Lama, as well as the huge crowd that was there, became quite emotional. This because, being an indigo child, but with cancer, the parents overlooked the fact that above all she was a child, and would constantly impose rules on her such as, "You cannot run, you cannot… you cannot…"

To which the child always replied, "I can, but it is better if I don't. But, I can. Even if I die! As a child, I have the right to play."

She is a perfect example of a **humanist child.** It would be very easy for her to adjust to the other individuals due to her ability to love others, and to love herself.

Those who belong to the **artistic** type have a particular uneasiness that reflects the personal trait of almost all artists. The conventional artist is a *child* that is not happy, is not interested in scientific doctrines, and very seldom for philosophical issues. It is a child that is utterly and emotionally interested by art alone. The children of the artistic group are more numerous in our society than we imagine.

The indigo-artist child has the ability of transforming everything he or she finds in the home. This child is always trying to create new forms and to propose different aspects. For the adults, this creative attitude may become a problem, due to the complications that it may bring to place.

There is a quite curious experience regarding an indigo-artist child who was visiting her grandmother with her mother. This child suddenly stood right next to a pretty music box, and when the music started playing, she grabbed it with both her hands and smashed it on the floor. Of course, both her mother and grandmother looked at her with a mix of surprise and recrimination. However, the grandmother, who was very perceptive and more particular inclined to understand the infantile mind, looked at her and asked,

"Do you have a toy?"

"Yes, I do."

"Would you like me to break your toy?"

"Of course not!"

"Well my child, I don't either. I do not like when a child comes to my house and breaks my toy."

Then the child realized her mistake, and while saying she was sorry, gathered all the pieces from the floor, and affirmed with conviction:

"I'm going to fix it, OK?"

The **conceptual** indigo children have great aptitude for music, solidarity, and are very social with other people.

The **interdimensional** or **transdimensional** child sees Spirits from a very early age, identifying their auras, and perceiving their feelings.

In the Mansion of the Way [Divaldo Franco's foundation for children and youth in Salvador, Bahia, Brazil], there was a child that, at the age of four came to me, and with a serious look informed me:

"I know you."

At first, I stared at him, but then I looked away.

Then, he asked me in a challenging tone:

"Are you afraid of me?"

I looked back and faced him.

For about two minutes we remained looking at each other's eyes in complete silence. After some time he sighed and asked me,

"Uncle, we know each other, isn't that so?"

"Yes, it is true." I answered him.

"Because you have told us that you would come before your reincarnation," he said.

This fact was very impressive because in a mediumship meeting I channeled a Spirit and Nilson de Souza Pereira *[Spiritist counselor and co-founder of the Mansion of the Way]* counseled it, tenderly and patiently. This continued for another three meetings. When the Spirit finally understood its new reality, Nilson informed it, "You are going to reincarnate on Earth, and at that time, everything will be different, particularly regarding your present feelings. You will no longer feel the need to hate, but only to love."

We used to record or to file the communications received during the mediumship meeting, so that we could later attest as to the exactness of the information received[13].

Eight years later, I was in one of the Kindergarten classrooms of the Mansion of the Way, when this boy approached me and stared at me. Realizing who he could be, I stared back, authorizing him to question me.

"We know each other, right?"

---

13 – *The mediumship meeting in a Spiritist organization occurs with a serious purpose of mediumistic enfoldment, which is an organic faculty inherent to all human beings. Allied to this useful purpose, these meetings are also established with the aim of assisting the needy or earthbound spiritual entities. In order to achieve that, it is necessary to compose a group of serious and responsible people, as suggested in the Chapter 29 of* The Mediums' Book, *by Allan Kardec.*

At that moment, he had a memory of his previous reincarnation, and of the period he was in the spiritual world, and then he told me:

"I spoke through your mouth, while Uncle Nilson informed me that I was going to come back... And I came back."

Very moved, I concluded the special dialogue by saying, "Yes, you came back, but this time to love and be happy."

He was an indigo child.

It is amazing to realize how these Spirits, even when reincarnated, have the memory of the past, and how they can talk about it with such awareness, whenever they want to! The family, for lack of knowledge in this field, believes he is suffering hallucinations, or that these are only fantasies related to his playful phase.

In fact, because they can maintain easy contact with the spiritual world, everything seems natural to them. There are no barriers of separation to them, only vibrational ones.

These interdimensional children can see other people's aura because their perception goes far beyond the material plane. In our Institution, I talk to every child, two years old and up, individually or in small groups, about the spiritual life, the reality of the human being, and its transcendental nature, and they understand me perfectly well, naturally, according to their level of knowledge.

For instance, Antonio, a three year-old boy, after an affectionate conversation we had, embraced me, and asked me, smiling, "Uncle, what light was that one shinning around your head like the Sun?"

Because a child has a lot of imagination, I quickly replied, "It must have been the Sun."

Changing the tone of his voice, he affirmed, "No, it was not the Sun, because as you moved your head it followed your movement. You left that place there, and here I am seeing it in the same way. It is of a color..., of a color... ".

Convinced of the reality, I pointed to something colorful and asked him,

"Is that the color you see?"

"No! It is a different color."

He was seeing a color that was not familiar to him; it was the color violet. Then, looking in another direction he pointed to a flower and said, "It is that one."

It was indeed the color violet. I knew about it, because every time my spiritual Guide approaches me, it surrounds me with a sort of a rainbow light, with the predominance of the violet bluish tone. It is a tone that denotes spiritual evolvement. The strong colors like red, yellow gold, and green – called hot colors represent sensuality, materiality, and moral backwardness. The soft hue tonalities – the violet bluish tones – are colors that represent high spirituality. That three year-old boy could not have had the slightest idea about something of this nature.

I followed his development, and he became a remarkable medium. He became a clairvoyant, and a psychograph medium. Through his automatic writings he started to disseminate the Spiritist Thought, and today he travels all over Brazil inviting people to meditate about their spiritual reality.

The indigo children are modifying the traditions, demanding a new pedagogical methodology and a significant and more evolved way of expressing themselves, of living and loving.

7
NEW EDUCATION FOR THE NEW GENERATION

Henry Pestalozzi, the great Swiss educator, in the end of the 18th Century and beginning of the 19th, presented a different and appropriate educational proposal that became known as New Pedagogy. Education, before his time, was perverse. It applied physical punishment to the children, as a result of the ignorance that predominated among the people in charge of their moral and cultural education. There was a belief among these educators, particularly the religious ones that affirmed, "When the blood leaves, the knowledge enters." Upon drawing students' blood through physical punishment, they believed they could then introduce the knowledge.

Pestalozzi established a more humane and dignified method, using childhood psychology as the base. He believed that one couldn't speak to a child in the same manner as one speaks to an adult. One couldn't teach a child in the same way one would teach a college student. The child's intellectual and conscientious level is infinitely diverse from that of an individual who has already reached another degree of emotional and mental development.

Pestalozzi was a pioneer in children's education, and his main postulate was the love and the understanding regarding the children's need. At that time, the great pedagogue, Fröebel[14], established the first kindergartens. Around a century later, a notable woman, Dr. Maria Montessori[15] established the children's schools, proposing efficient methods of education for the new generations.

In fact, Maria Montessori, in the *Casa dei Bambini*, in Rome, initiated a new era, anticipating the period where the indigo children would appear.

It is said that once a very rich lady went to visit her and asked,

"Ms. Montessori, I would like to know when I should start educating my son."

Ms. Montessori asked, "What is your son's age?"

"My son is one year-old," the lady replied.

"Well then, you have to run, because you have already lost the best 21 months of his life!"

"What do you mean by saying 21? He is only 12 months old," the lady said.

"Yes, outside of the womb," she answered, "because inside, we have to consider the other nine! Education starts in the womb, caressing the child and saying, 'I love you, be welcome, you are an angel to my life…'"

---

14 – *Friedrich Wilhelm August Fröebel (1782–1852) was one of the forerunners of modern education who realized that children have special needs and specific capabilities.*

15 – *Maria Montessori (1870-1952), was the first woman in Italy to receive a medical degree. While treating children, she observed that those patients needed more especial education than medical treatment. Then, she opened a school as she wanted to understand more about children's way of learning. She was definitely a pioneer in modern education. Her method is the so-called* **Montessori Method**

According to other biographers of the extraordinary doctor and educator *[Maria Montessori]*, a person asked her when would be the best moment to initiate a child's education, and she replied, "twenty years ago," i.e. equivalent to the time in which the mother should be working on her own education in order to better know how to transmit it.

Andrew Jackson Davis[16] was one of the pioneers of the idea of how important the prenatal life is to the being who is about to be reborn[17].

According to Dr. Maria Montessori's thesis, in the first case she demonstrates it is necessary to educate the newborn child through the creation of healthful habits such as: the time to be fed, to sleep, and for its bowel movements. Every time the child cries, the inexperienced mother assumes that it must be hungry and feeds the baby. This is not necessarily what is happening to the baby. The baby cries for several reasons, and because it does not know how to speak, the baby expresses its needs through crying. The baby may cry because of pain, of being wet, indisposed, or feeling hot or cold.

It is pivotal, therefore, to establish healthful habits in the life of the child. It is normal for the child to sleep during the day and to be awake and crying at night, which is a nuisance for the parents.

I have some friends that who in order to minimize this problem they decided to take turns watching the baby during the night.

---

16 – ***Andrew Jackson Davis*** *(1826 – 1910) – He is considered to be one of the main forerunners of Modern Spiritualism. He was a very well respected North-American clairvoyant. He is and the author of* The Principles of Nature, Her Divine Revelations, and a Voice to Mankind, *among others.*

17 – Harmonial Philosophy, *vol III, item* Psychological State, *por Andrew Jackson Davis.*

Montessori, who understood the infantile being, created a correct methodology for an adjusted education; thence, propitiating the establishment of schools that follow her method and that are adequate to the indigo children of the present time.

At the end of 19th century, a remarkable individual reincarnated in Austria, Europe, Rudolf Steiner. Steiner created a technique of education that revolutionized the 20th century, also based upon the love in relation to the child. He used to say that it was not only important to transmit information that for sure was very useful, but that it was even more important to give love to the children. He meant to say that education should not only be restricted to instruction, but it should also encompass the development of edifying habits that love alone can imprint in the innermost of the human beings. According to Steiner, to educate is the harmony between pulling out from one's soul the knowledge and to condition edifying habits.

The technicians of the indigo psychology agree that the Montessori and the Waldorf Methods are the most efficient ones for the children's education of the New Era. And why is that? Because the indigo children need more educational understanding in order to fulfill their role in the construction of a better world.

Experts in indigo children recommend developing with them an educational experience having as base love, and more love. This happens because, in modern culture, children lose contact and affection from their parents at a very early age due to the need of both parents to work. The task of love is unwittingly delegated to other people. Some of these caretakers may be competent, but others not quite, and in any case, they would never display the same deep affection for the children as the parents themselves. The children are sent to school at a very early age, or babysitters are hired to look after the children. However, quite often, they are not well prepared, and have no patience to deal with these children, who easily rebel, feel forsaken, abandoned, unloved, and almost always wind up resorting to violence.

Even considering that these indigo children have reincarnated with purposes of regeneration and self-renewal, as well as the renewal of Humanity, we have to bear in mind the importance of the childhood phase for their instrumentation, so that they can succeed in their reincarnatory plans. In question 383, of The Spirits' Book, *Allan Kardec asked: "What is the usefulness of a spirit in passing through childhood?" The reply of the Spirits was very logical and emphatic: "A Spirit incarnates in order to perfect itself, and it is more accessible, during that time [childhood] to the impressions it receives, and which may assist in its progress. Those in charge of its education should contribute towards this goal[18]."*

Recently, the neurosciences started to understand the peculiarity of the first years of life and its long-term impact in the adult phase. The first scientific work to evidence this fact was published in the renowned scientific journal Science *in 2002, by the group of the North-American researcher Maria Ruda[19] of the* National Institutes of Health *(NIH). Few years later, those studies were confirmed and deepened by the scientific investigations of a group of neuroscientists at the University of Mary-*

---

18 – **The Spirits' Book** *by Allan Kardec, published by the Allan Kardec Educational Society.*
19 – "Altered nociceptive neuronal circuits after neonatal peripheral inflammation", *artigo publicado na revista científica* Science *em 2000.*

land, among them Dr. Vanessa Anseloni. That group demonstrated that there is a critical period in the neonatal phase that will define neuronal circuitry as well as its genetic regulation, which will strongly impact on the behavioral-cognitive abilities of that individual in adulthood. Therefore, concluding on the importance of the first years of life[20].

Therefore, the indigo child should not be restrained, but rather, enlightened. When this child perceives one's own possibilities, she feels well and acquires more self-knowledge. But, what happens with those parents that do not have the sensitivity to understand the happy relationship they can develop with their indigo children? They feel dismay and wind up punishing their children, which may lead them to harbor feelings of anger. The children feel hurt and may become serial criminals, because they lose their sensitivity. They feel disrespected and may become deeply aggressive.

We should also consider the other end, when the parents do not want to disappoint their children, for considering them special, indigo children. This attitude is not adequate because it goes against the main role of parenthood, which is to educate and guide their children, even when they are before the most sensible souls.

To assist in the general education of children, and mainly of the indigo child, one should approach a more spiritual type of education, in which parents and children learn to see themselves as millenarian beings, in another precious fleshly experience, through their reincarnation.

---

20 – "Alterations in stress-associated behaviors and neurochemical markers in adult rats after neonatal short-lasting local inflammatory insult", *artigo publicado na revista científica* Neuroscience *em 2005.*

The great educator Eurípedes Barsanulfo[21] affirmed, more than a century ago, that one should educate the child and the youth, talking to them, spirit to spirit, looking at each other's eyes, with great affection. In this way they will establish new habits, in order to truly educate the new reincarnating being. In the United States, the educator Mimi Doe recently wrote a book that made her very famous due to the depth of its content. The book Ten Principles for Spiritual Parenthood *offers precious guidelines on how to carry out with effectiveness this new model of parenthood based on the spiritual paradigm.*

---

21 – **Eurípedes Barsanulfo** (1880 – 1918) – Renowned Spiritist, he was born in the city of Sacramento, Minas Gerais - Brasil. He was an exceptional medium and educator. He founded the first spiritist school in the world in 1907, the Colégio Allan Kardec, in the city of Sacramento.

8

CRYSTAL CHILDREN

More evolved Spirits are equally incarnating on Earth in order to assist in the great planetary transition. They are called *crystal* children. They are the children who are not rebellious. They are quiet, good observers, and responsible. At first it may seem that they have difficulty expressing themselves verbally, something that they achieve around the age of 3. They are not uneasy as the indigo children. They are very introspective, affable, and loving...

When we look at the picture "*The Prince of Peace*" painted by Aki-

22 – *Akiane Kramarik*, 11, is internationally regarded as the only binary prodigy child in both painting and poetry. She got into the Hall of Fame for Children and has published two books: "Akiane: Her Life, Her Poetry" and "My Dreams are bigger than I: Memories of Tomorrow"

ane[22], an eight year-old child, *[the picture was displayed in the room of the conference during Divaldo's seminar]* I was flabbergasted, I couldn't believe my eyes; and even now, at this moment, looking at it I feel deeply moved. There is nothing more impressive than a fact, to demonstrate the truth. This child-painter is not common, nor simply brilliant, she is almost transcendental; she may be considered more than a genius. This because at the age of 9, the painter, Rafael Sanzio, already painted next to Michelangelo in the Gallery Uffizi, in Florence, but this girl has been painting in this transcendental way since she was 4 years old!

Therefore, she is not an indigo child but rather, a crystal child. Her message, enveloped by sweetness, is the perfect depiction of the face of that uncommon Man, beyond the physical perspectives. His eyes are incomparable stars. Since last night, when I saw the painting for the first time, I became very impressed. This because, besides its physical beauty and the message it transmits, I realized that from one of his eyes there is a delicate tear being shed, representing his mercy and compassion.

An ordinary eight year-old child would not have the ability to penetrate the essence of the depicted portray, which makes it a great message of life and hope.

This message comes to us at a very appropriate time, because about three years ago the BBC of London presented an anthropologic finding to demonstrate what would have been the real face of Jesus. They obtained some DNA of Hebrew people of the first century after Jesus. After several attempts to reconstruct the human being of that time, through computer imaging, they reached the conclusion that Jesus would have the appearance they presented on a special TV documentary. To everyone's astonishment the appearance of this Jesus came out a little too aggressive due to its rude aspect and hard features, greatly differing from the one who said: "I am the life, I am the way to God, I am the truth, I give myself in holocaust for love." Jesus was a sublime Being and came to us, on behalf of God, to provide us complete happiness.

I compare that Jesus of the computer image with this Jesus of the revelation *[of the painting "The Prince of Peace," by Akiane]* and I prefer this one, because it speaks to my feelings and emotions.

When they told me how Akiane painted it, I made a parallel: the computer science produced a somewhat cold Jesus while the science of the spirit depicted a loving and beautiful Man, who reflects in his face the inner nobility he possesses.

When the computerized photograph of Jesus was released, I found the process very odd. For example, if my DNA was chosen to define the characteristics of a person of the 21st Century, a Brazilian type like mine would be presented with my peculiar characteristics. If, however, a DNA of a typical North American were selected, they would have reached a very different type than mine. If the DNA were taken from an Asian person, the biotype would be yet a different one, and so on with other races. Therefore, this thesis, in my opinion, seemed to be purposely ferine, perhaps, to consciously or unconsciously diminish the figure of Jesus. Even when considering that the DNA was taken from a Hebrew of that time, it doesn't mean that there weren't several different Hebrew biotypes living at that time.

In 2003, the book *The Da Vinci Code* by Dan Brown was released, and according to our point of view, it represents an attempt to lessen the grandiosity of Jesus, upon informing that he maintained a sexual relationship with Maria of

Magdalena, and implying that his descendants still live in the south of France... Without a doubt, we are before a very creative imagination, though respectable, where the writer affirms that he gathered data in sources that he deems to be authentic, and more in particular in some of the apocryphal gospels. Due to its originality and romantic drama, it became a best seller, and one of the most sold titles in the world in the last few years. As a result, other books that he had previously written, as well as others he wrote later, became a true success. I saw, in the streets of New York, the posted bills of *Da Vinci Code Decoded*. The book came along displaying the great and imaginative skill of its author; however, besides lacking historical support, to us it also lacks the confirmation of the Spirits that have never referred to Jesus as having maintained a sexual relationship with Maria of Magdalena.

Opportunely, crystals individuals have been born to work in the development of the future humanity.

Allan Kardec, in 1868, published the book Genesis. In this monumental work, he made reference to crystal individuals, of course with a different denomination, which would constitute "*The new generation*. They are the spirits that would come from another dimension to promote the progress of the humanity." Emigration and immigration of Spirits, going from one planet to another in continuous interchange is promoting progress. As the Earth is currently living the hour of the great transition, here we find not only primary and perverse Spirits, but also more evolved Spirits who dedicate themselves to the work of transformation of the planet from *a world of trials and atonements to a world of regeneration.*

In the 1800's Allan Kardec had already described, "*The current time is of transition in which the elements of two distinct generations are mingled together. Placed in the middle ground, we witness the departure of one and the arrival of the other, but already displaying in the world their peculiar characteristics."*

"The new generation can be distinguished by its precocious intelligence and reasoning, allied to an innate propensity for righteousness and the spiritualist beliefs, which denote a doubtless indication of a certain degree of previous evolvement. The new generation will not be composed exclusively by eminently superior Spirits, but of those that have already accomplished a certain progress, and therefore find themselves inclined to assimilate the progressive ideas and to second the regeneration movement."

"What, in contrast, designates the backward Spirits in the first place, is their revolt against God, because they refuse to recognize any superior power than that of the human beings; their instinctive propensity to lewd passions, their anti-fraternal feelings of selfishness, pride, envy, and jealousy; and finally, their attachment to earthly related values, such as: sensuality, ambition, and avarice[23]."

While the backward Spirits stir up conflicts, we have others that lived here, like the apostles Sister Teresa of Calcutta, and Francisco Cândido Xavier, who certainly were crystal children. For instance, Francisco Cândido Xavier talked to Spirits since he was four years old, becoming through times an unparalleled medium. I consider myself blessed for having had the opportunity of periodically being with him for over 40 years, visiting him anytime I could, since we lived in distant cities from one another. He was such a remarkable medium that he was capable of emanating the most varied

---

23 – *In the book Genesis by Allan Kardec, chapter 18, item 28.*

scents of perfumes, as well as healing ether. While standing next to him, one could feel waves of continuous pleasant aromas. Once, someone brought us a tray with cups of coffee - the small coffee cups, not the American style, but the tiny ones that we use in Brazil for espresso – He grabbed one and offered it to someone. In this cup we could sense, for example, the smell of violets. He would grab another one, and then we could smell roses... Each cup presented a soft and particular perfume that fascinated us. Do you know what usually happened next? Well, almost everyone would keep his or her respective cup. They would fraternally 'steal' the perfumed cup as an eternal souvenir of that moment.

Once, he was talking to a group of friends when a light started to shine from his thorax and everyone looked at him in amazement because that brightness was even traversing his clothes. Discretely, he pulled his coat in order to hide it. Then, the friends, deeply moved, said to him: "Chico, it is a wonderful light."

He tried to hide the occurrence, which was the result of his ectoplasm that was being released in the form of luminous energy. He was also able to materialize Spirits in such a clear way that one could even see details, like the luminous torch of his Spirit guide, Emmanuel. The Spirits, however, advised him that this energy – ectoplasm – should be channeled to healing instead of manifestations of physical phenomena. If someone shook hands with him, or embraced him, this person would receive a sweet vibratory wave, and quite often, if the person was ill, even the cure... I have seen deranged people arriving in a very aggressive mood, even tied sometimes, and Chico, touching their forehead, asked: "How are you doing, my son? You can release him," and the person remained calm and in peace.

We are in a new era. Jesus said, "Happy are those who have eyes that see and ears that hear." It is possible that we have here many people that are **indigo** and even some that are **crystal**, without knowing it.

Let us look after our children, the new generation, so that they can build a world in which violence yields place to peace, hatred offers the premise of love, systematic revolt yields place to joy, and where we can embrace each other without anguish and pain. These days are announced in the Bible as being *the end of times*; however, this will not happen by means of catastrophes, but rather by putting an end to the era of wars, hatred, horror...

I can assure you, ladies and gentlemen, as one who has been communicating with Spirits since the age of four, and who today, 78, I can assure you, I repeat, that this reality is already taking place in our world. Everyday, I see on the streets, the cities, buses, planes and trains, everywhere, these special individuals, noble beings, as well as others remarkably delayed, among the multitudes. They are looking for each other, seeking to identify one another in order to be able to help the Earth to become a world of regeneration, because, for the time being, it is a world of trials and atonements...

Who does not have problems? Who are those among us that have not yet experienced moral pain? We can be wealthy, enjoy good health, however, how much ingratitude, treasons, and gratuitous enemies haven't we faced unexpectedly? There are those that perhaps have not been victims of moral pains, nevertheless, other types of deeply disturbing afflictions, also, mark their lives.

When I think about Stephen Hawking' life, this extraordinary physicist that today almost surpasses Einstein, and that communicates with the world only with a single finger on the computer and with his eyelids transmitting messages of good-will, the man that deciphered the universe and placed it in a *nut shell*, I say: "Oh, my God! How much beauty!" He feels joy of living, and he is disabled, suffering a degenerative illness for over 20 years, without dismay, and bravely! And how many of us healthy, complain about our lives? In addition, numerous are those with perfect bodies, using drugs that will wind up destroying them. Others, with an enviable health, give themselves to the so-called social vices, because they are the current trend, even if they kill the feelings and destroy life.

Upon concluding our humble outline about these Spirits in evolution that come from other planets to help us on Earth, in the same way that many amongst us will go to inferior planets to help their progress, I wish that we may be able to identify these indigo and crystal children, missionaries of goodness, love, and truth, and that we may make easy their way by loving them.

We are tired of wars. We are tired of hatred. But we are thirsty for love. My Spiritual Guide *[Joanna de Ângelis]* says to me: "Love is the only treasure that, the more we divide it, the more it multiplies." Everything that we divide diminishes. With love, however, this is not true. The more we love others, the more we love ourselves."

9

QUESTIONS AND ANSWERS

1. Divaldo, following God's path is often difficult. How best can we show appreciation for both the joys and the sorrows in our lives?

The way of righteousness (of God) is always good. Every option we choose in life will present challenges to us. It is only natural that we find difficulties to reach superior goals when living in a materialistic culture such as ours. Sadness is a normal occurrence, and it is part of our evolutionary path. The joys, however, that are the result of our well-fulfilled duties are so great and rewarding that we feel it is worthwhile to go on, even when everything seems to be against us. The one who marches through the path of light is always in peace. Outward disturbances are unable to reach the person. Therefore, it is worth to continue enjoying peacefulness.

From a very early age I have been following this pathway. When I was young I faced many difficulties. I worked 35 years for a governmental organization, and people used to see me as being a special person, because I had none of the conventional vices. My colleagues criticized me, which did not bother me, because every time they had a problem they would come to me asking for help. To them I was a role model of happiness. They aged and I myself as well, however, they show their age and I continued to be this "big boy". *[Laughs]*

2. I feel lost and I don't know where to go. Why?

It is because of the outward turmoil that affects everyone. We have many options and we find it difficult to choose one of them. The majority of individuals were educated to achieve external triumph - to possess, to enjoy – and as a result, it has been difficult for us to find out who we are. To them I usually say: "Sit in a comfortable place in a comfortable position, breath slowly, relax, try to attune with the Truth and wait for God's reply."

There was a time that I was very ill. I suffered a cardiac arrest followed by clinical death. My doctor gave me two months of life. But I refused to die. "I am not going to die now! I still have a lot to do!" I said to myself. I survived with meditation and through energy acquired from therapeutic visualizations[24], the ones mentioned by Mrs. Amy Biank. This happened sixteen years ago; my doctor died and I am still here.

Therefore, I suggest that you look at yourself in the mirror and ask yourself: "What is my purpose in life?" Ask yourself many times and wait for the answer. It is inside of you. Lie down, breath softly, and also inquire: "What does God desire from me?" The answer will come. Be patient and wait for it. I am certain that in our next meeting, you will come to me and say: "I am very happy because I found out the purpose of my life."

---

24 – *The Therapeutic Visualizations proposed by Joanna de Ângelis through Divaldo Franco's mediumship are now available in the CDs Health and* Inner Journey.

Allan Kardec, the codifier of Spiritism asked the following question to the Spirits: *"What is the most effective means for improving ourselves in this life and for resisting the draw of evil?"* To which the Spirits replied: *"A sage of antiquity has told you: 'Know thyself'."*[25]

This means that we have to travel towards our inner self, to the soul, and to find out the precious treasures that lie within. The external things tire and saturate us, always pushing us to please new necessities, while the inner ones fulfill us completely.

I say this out of a personal experience. I have no children, and I was never married. Fortunately, this has never constituted a problem to me, and I have never felt distressed for not having a friendly heart to live within an affective partnership. However, I became a father of more than 30,000 children who have already attended our schools in the past 58 years. We raised 816 orphans that we received when they were only from a few days old to five years of age. I have fulfilled in this way my life, because one day I heard a voice that said: "Your mission on Earth is to educate, and in order for you to educate you have to teach through examples. One does not only educate through words. Examples are worthier than a thousand words." Therefore, I have decided to follow this path, and with this I have enriched my current existence and I feel myself immensely happy.

When I had that cardiac arrest I felt myself out of the body, and it seemed to me that it was in an apparent asleep. I have adoptive children that are doctors. One of them in particular, was taking care of me, and said: "Uncle Divaldo

25 – *Question and answer 919 of The Spirits' Book by Allan Kardec published by the Allan KardecEducational Society.*

is fainting!" He soon added that I was going through clinical death. Notwithstanding, I felt so well that I thought: "Death is a wonderful thing!"

I felt myself awaken; I called for my friends, but no one answered me. My mother, who was already dead, appeared to me and I asked her:

"Mother, am I already dead?"

"Not yet," she said.

I did not like the word 'yet'. Then I asked: "And what I am doing here?"

"The Spiritual Guides are pondering whether you should stay here or return," she replied.

Because of her answer, I told her,

"Dear God, Mother! Please go after them and intercede in my favor so that I can come back."

In the meantime I prayed, "God, if I remain alive, you will continue to guide me, because you are my commander! If I die, you will still be in the command. Therefore, to you God, it doesn't really matter whether I live or die, but to me it makes a huge difference! In this manner, I would like to return. Please give me at least ten more years."

My mother returned and informed me: "It has been decided that you will return..."

I woke up with *angina pectoris* and other very awkward sensations.

The years went by. Eight years later, more or less, I was already well when a Spirit that has been my friend since my youth, said to me:

"Divaldo, you are not smart, because if you were you would not have asked God for only ten extra years. See, there are only two remaining! To God we always ask a lot, because if God is in a 'bad-mood' and therefore decides to reduce it in half, still you would remain with a considerable amount of extra years!"

"Well," I replied, "you have not quite well understood my plea. When I asked for ten years, I was meaning up to the year 2010..."

Today, because we are already in the year 2006, I am thinking about asking for an extension.

In view of my reply, the Spirit, very happily told me a joke, because many Spirits are very joyful, this because they are the very same souls that lived on Earth. He told to me that a soul went to God and asked: "God, I do not understand eternity. To you what does a billion of years represent before eternity?"

God answered: "a billion years corresponds to a second before eternity."

The soul, which was American, posed another question: "God, and what about one billion dollars, how much is it worth to you?"

God clarified, "One billion dollars represents a cent to me."

Surprised with the answer the soul excitedly concluded, asking: "Oh! God, can you please give me a cent?"

And God, calmly, promised: "Sure, wait a second!" *[Laughs]*

What we are trying to say is that we have to trust God, but not according to our standards, but according to those of God. The Gospel of Jesus affirms: *"Trust God, give God your life, and God will look after it."* This is absolutely true! I trust God, and I have delivered my life to God. I do not speak other languages; however, I have already visited 56 countries, without any significant distress occurring to me. I have been traveling for over 60 years, and yet, I have never gone through a situation in which I had to cancel any of my conferences. I was never ill, and I was never unable to attend my pre-scheduled commitments. Sometimes I have to give an eight-hour seminar during the day, and a lecture at night. We have a quite large audience, in Brazil. Last April, for instance, I had an audience of 16,000 people that filled a gymnasium, in the capital of Brazil *[Brasilia]*. I spoke to them for several hours, and later, that same day, I gave another lecture, and I felt in excellent organic and psychological disposition, because the work, in fact, belongs to God. When I have any problem, I try to do my share, and then I remain calm because I know that the rest belongs to God, and God never fails.

3. If our youth has experimented everything when they reach the age of 18 to 20, How can we rescue them and teach our lost and misguided youth if, by the time they reach 18 to 20 years of age, they will have experimented with everything?

It is very easy. It is enough to present the other side of life they have not tried. I talk to many people with problems: actors, artists, executives, and common individuals that are addicted to drugs, sex, that are abstinent... I always suggest to them: "You already know this side. Do you want to try to get to know the other? A coin has two faces, you have seen one face, and the other one that I can offer you is more fascinating. Do you want to know it?" The person quite often remains pensive and at the same time curious, and then I say: "Start now. Do not wait for a miracle, believing that tomorrow will be a different day. These kinds of miracles do not exist. But, if you start now, you will soon enough see a very positive result. If you use drugs, look for medical treatment to detoxify yourself. If your problem is drinking, follow your doctor's advice and say to yourself, 'Tonight, I will not drink'. Tomorrow morning say to yourself, 'Today, at noon, I will not drink'. Then, in the afternoon do the same: 'This afternoon I will not drink'. Go slowly, until your unconscious gets used to the new habit.... And you will enjoy a new way of living."

In Jesus' life, we have fascinating examples of those who decided to follow a new attitude in life. Saul of Tarsus, for example, was a persecutor, a person who had given orders to kill, but when he found Jesus in the road to Damascus he changed his attitude completely, and became the greatest hero of Christianity. If we are Christians today, in a way, it is because of Paul, who is the one that disseminated Jesus' messages to great part of the known world of that time. Those who are Buddhists, live happily because of the total delivery of Prince Siddhartha Gautama, who after his inner voyage found enlightenment and became the Buddha. Prior to that event he lived a regular and rich life, but that had been a dull life. He then decided to meditate, and after living in a monastery where he could not find his inner self, he sat by the shade of a fig tree (Bodhi tree) and became enlightened, starting after that to enlighten the world with his wisdom and compassion. We can be like Siddhartha Gautama.

Say to the tired young person, "Let us meditate a little and start another experience." If the young person refuses to do it, there is nothing we can do, because we cannot solve the problems of those who refuse to do it themselves. Let us give our support to the young, the adult and the elderly who seek us, independently of their particular age, approaching with affection the question of spiritual life, because life goes on.

It is quite moving to see someone dying, and soon after see this same person recovering his conscience beyond the physical body, that is to say, to continue living. This is the greatest joy we can have. Death does not interrupt life; however, each one dies as one had lived. Those who had an afflicted life, wake up in disturbance. Those who had a calm life, awake in peace. All of those that wake up in peace receive the visit of their relatives, which brings them ineffable joy. When I was out of the body, my mother comforted me with her presence. The other side of human experience must be presented to those who seek us in need of help.

4. What is the position of psychotherapy in the treatment of indigo children?

The position of psychotherapy regarding the *indigo* child is of extreme relevance. Besides that, specialists recommend specific nourishment that has little chemical addictives, vegetarian, organic, without toxins, as also the yellow-green seaweed, and above all, to regularly maintain calm and affectionate conversations. In the case of the nourishment we can propose to the child, "Let us prepare our meal together today?" allowing the child to participate conscientiously in one's own nutrition.

The child will naturally choose the foods that are better for one's organism. Red meat should be avoided, as well as those products that are canned. There already exists in the United States and Canada several food industries for indigo and crystal children.

It is noteworthy to take into consideration some of the nourishment proposals presented by Doreen Virtue[26]. She is a remarkable lady. I believe she is a crystal woman because of the way she is guiding millions of lives regarding their nourishment.

We should also take care of our sick children through standard medicine, without overlooking the infinite resources of homeopathy[27], Bach Floral, and other alternative therapies... This because our organisms better assimilate medicines worked with processes of vibratory harmony. As homeopathy works the *mater* substance in many dynamizations, the human being's perispirit or astral body better absorbs these energies, thus more easily reestablishing the balance of the cells.

5. Is there any universal guidance to enhance my intuition?

The guide of the universe is God, *which is the supreme intelligence of the universe and the first cause of all things.* According to the definition of John, the Evangelist, in his gospel, *God is love*, and this love of God is present in all of us, and more in particular in the great missionaries who had come to the world such as: Jesus, Krishna, Buddha, Moses, Baha'u'lah, Helena Petrovna Blavatsky, Rudolf Steiner, Allan Kardec... These and many other missionaries brought us safe guidelines so that we could reach the Kingdom of Heaven.

---

26 – **Doreen Virtue** *is clinical psychologist and author of more than 20 books among which* The Care And Feeding Of Indigo Children *and* The Crystal Children.

27 – *There is great correlation in the proposal of Homeopathy and the principles of Spiritism. Christian Friedrich Samuel Hahnemann (1755-1843) was the German physician who foundedHomeopathy. Later on, he became one of the Enlightened Spirits that participated in the Spiritist Codification. Chapter 9, item 10 of* The Gospel According to Spiritism *contains one of his messages when he said that "all virtues and vices are inherent to the soul", not the body.*

If the person desires to improve one's intuition, the best technique is to learn to achieve inner silence, calming the mind, in order to be able *to listen to the stars* and perceive their *inarticulate sound*. We lead a very busy life, which makes it hard for us to pursue this goal. However, when we are able *to stop the mind*, we may tune ourselves with the Divine Thought.

Let us keep a good breathing technique: very slowly inhaling with our mouth closed, holding back the oxygen, and exhaling with our mouth semi-open, until we eliminate the carbon dioxide (CO_2) from our lungs. Very softly we will be renewing ourselves, and upon doing it, the toxins are eliminated from our brain, thus making it possible for us to achieve inner harmony.

Many people say that it is very difficult for them to correct their breathing habit. I recall what Buddha used to say regarding meditation: "First try to do it for seven days, if you can't then try to do it for seven years, and if you still cannot do it try for seven reincarnations and you will learn..." It is indispensable, therefore, to begin.

There is another technique proposed by Dr. Stanislav Grof, one of the pioneers of the modern transpersonal psychology. He applied it on some of his schizophrenic patients, in order to lead them to ecstasy. It is the technique called holotropic breathwork. When very uneasy, one sits down and starts to breath slowly. Soon thereafter, the person accelerates his breathing until eliminating the oxygen from the brain, which blocks the vicious habitual thoughts. The person will reach the stage in which one will deprive one's brain of oxygen for a few seconds, leading to complete harmony. This can be one of the techniques that can be applied to the indigo children, in order to help them to calm themselves and to learn how to meditate. And because this is an uneasy child, we may suggest to the child: "Let us breathe fast, faster, and faster," and we will succeed. These are techniques that calm down the psyche, favoring the harmony that helps us to tune in with the spiritual world.

6. Is my eight-year old son an indigo child?

If he presents the following characteristics: if he is uneasy, challenging, if he does not follow orders, if he does not stay in line for some time, if he talks back, if he is not afraid to stare at people, these are signs that indicate he is indeed an indigo child. Further confirmation will come from dialogs, conversations, because all indigo children unconsciously know they are one. There are ten characteristics that define an indigo child. I would suggest the reading of the book of the two psychologists Lee Carroll and Jan Tober: *Indigo Children*. It is a very enlightening reading.

Divaldo concluded his wonderful seminar by expressing his gratitude for the organization of the event and the audience's attention.